Y PLENTYN BACH

Cyflwyniad i Astudiaethau Plentyndod Cynnar

Siân Wyn Siencyn
(golygydd)

Cyhoeddiadau Coleg y Drindod
Coleg y Drindod
Caerfyrddin
SA31 3EP

www.drindod.ac.uk

Argraffiad cyntaf 2008

ISBN 978-0-9560079-0-2

Cyhoeddiadau Coleg y Drindod

Dyluniwyd gan Laurance Trigwell

Argraffwyd gan J D Lewis, Caerfyrddin a Llandysul

Y Plentyn Bach
Cyflwyniad i Astudiaethau Plentyndod Cynnar

Cynnwys

Cyflwyniad   Tudalen

1. **Cyflwyniad i astudiaethau plentyndod**
Siân Wyn Siencyn   11

2. **Golwg ar hanes plentyndod**
Russell Grigg   29

3. **Cymdeithaseg plentyndod**
Nigel Thomas   41

4. **Plant yng Nghymru: polisi diweddar**
Siân Wyn Siencyn a Sally Thomas   57

5. **Cyfle Cyfartal: ymarfer gwrthormesol**
Clare Grist   77

6. **Y cysyniad o rywedd**
Trisha Maynard   99

7. **Plant ifainc yn dysgu: golwg ar ddamcaniaeth**
Siân Wyn Siencyn   113

8. **Y sgiliau meddal: datblygiad emosiynol a chymdeithasol y plentyn bach**
Susan Allan   139

9. **Ymarfer, darpariaeth a mythau: Cyfraniad merched arloesol i addysg blynyddoedd cynnar**
Siân Wyn Siencyn   163

Llyfryddiaeth   179

Mynegai   186

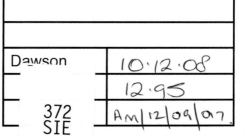

Y Cyfranwyr

Susan Allan
Pennaeth Canolfan Blynyddoedd Cynnar Ynys Cynon yn y Rhondda. Cyn hynny, bu'n athrawes am gyfnod hir. Mae ganddi MA Addysg Blynyddoedd Cynnar o Goleg y Drindod am waith ymchwil ar y berthynas rhwng cwricwlwm blynyddoedd cynnar a datblygiad emosiynol plant ifainc.

Russell Grigg
Uwch-ddarlithydd yn Ysgol Addysg a Hyfforddiant Athrawon, Coleg y Drindod. Mae wedi arbenigo mewn hanes addysg yng Nghymru ac yn cyhoeddi ym maes hanes plentyndod.

Clare Grist
Wedi blynyddoedd fel gweithreg gymdeithasol a hyfforddwraig gwaith cymdeithasol gydag awdurdod lleol, mae bellach yn ymgynghorydd gwaith cymdeithasol yn arbenigo mewn materion yn ymwneud â chyfle cyfartal.

Trisha Maynard
Athro Astudiaethau Plentyndod Cynnar, Prifysgol Abertawe. Mae ganddi ddiddordeb arbennig mewn rhywedd a dysgu. Cyhoeddodd yn helaeth yn y maes gan gynnwys *Boys and Literacy: Exploring the Issues* ar ei hymchwil yn y maes.

Siân Wyn Siencyn
Sylfaenydd a Phennaeth Ysgol Addysg Blynyddoedd Cynnar, Coleg y Drindod. Ei meysydd diddordeb yw dwyieithrwydd cynnar a damcaniaethau dysgu plant ifainc.

Nigel Thomas
Yn gyn Gyfarwyddwr Ymchwil yn Adran Astudiaethau Plentyndod Cynnar, Prifysgol Abertawe. Mae ganddo ddiddordeb arbennig mewn darpariaeth i blant mewn angen, hawliau plant a chyfranogiad plant. Erbyn hyn, mae'n Athro Ymchwil Plant ac Ieuenctid ym Mhrifysgol Central Lancashire.

Sally Thomas
Uwch ddarlithydd yn Ysgol Addysg Blynyddoedd Cynnar, Coleg y Drindod. Bu'n athrawes blynyddoedd cynnar ac yna'n Ymgynghorydd Aml-ddiwylliannedd yn Llundain. Mae ganddi MA Addysg Blynyddoedd Cynnar o Goleg y Drindod am waith ymchwil ar y Cyfnod Sylfaen 3 – 4 yng Nghymru.

Cyflwynir y llyfr hwn i
holl fyfyrwyr
Addysg Blynyddoedd Cynnar
Coleg y Drindod

Maen nhw wedi ymlafnio ac ymdrechu i gwblhau cwrs gradd drwy gyfrwng y Gymraeg gyda fawr ddim o gyhoeddiadau safonol yn yr iaith yn gefn iddyn nhw. Rwyf yn codi fy nghap i chi ac yn diolch i chi am eich ymroddiad.

Gair cyn cychwyn

Maes cymharol newydd yw Astudiaethau Blynyddoedd Cynnar neu Plentyndod Cynnar ac mae'n cynnwys disgwrs meysydd eraill megis cymdeithaseg, seicoleg, hanes, moeseg, addysg ac astudiaethau diwylliannol. Yn y gyfrol hon felly ceir ymdriniaeth o'r meysydd hyn sy'n gorgyffwrdd wrth i ni astudio plant ifainc a'r damcaniaethau a'r ymchwil sy'n llywio ac yn dylanwadu ar y maes. Nid llawlyfr 'sut-mae-gwneud' yn y traddodiad *tips for teachers* sydd yma ond ymgais i agor trafodaeth mewn maes cyffrous, heriol a hynod ddiddorol.

Terminoleg

Fel ymhob maes, mae i astudiaethau blynyddoedd cynnar eu geirfa arbenigol ei hun. Daw'r eirfa hon, ar y cyfan, o ddisgyblaethau megis seicoleg a chymdeithaseg. Lle'r oedd yr eirfa wedi ei sefydlu eisoes, mae'r llyfr yn defnyddio'r derminoleg safonol. Bu Geiriadur Termau Seicoleg, Prifysgol Bangor yn adnodd gwerthfawr iawn i'r perwyl hwn. Yn dilyn trafodaeth gydag eraill, mae yma gyfieithiadau neu addasiadau o dermau a chysyniadau. Mae, er enghraifft, sawl gair yn cael ei ddefnyddio yn y Gymraeg am y term Saesneg *gender*. Y penderfyniad yma yw defnyddio *rhywedd*.

Iaith ac arddull

Rwyf wedi bod yn ymwneud â myfyrwyr dwyieithog israddedig ac ôl-raddedig ers degawd a mwy. Pryder mawr sydd gen i yw canfyddiad cynifer ohonyn nhw o'u sgiliau yn y Gymraeg a'u hagweddau at eu dwyieithrwydd. Mae nifer o ffactorau grymus - gwleidyddol, hanesyddol, cymdeithasegol - yn milwrio yn erbyn canfyddiadau cadarnhaol y myfyrwyr hyn. Yn sicr, bu eu profiadau ysgol, i rai ohonyn nhw, yn rhan o'r stori drist o'u heithrio nhw o'u Cymreictod. Un o ddibenion y llyfr hwn yw democrateiddio'r Gymraeg a lledaenu'r defnydd ohoni er mwyn codi hyder myfyrwyr i ddefnyddio'r Gymraeg i drafod maes eu hastudiaeth. Mae'r Gymraeg mewn perygl go iawn o fynd yn iaith i wneud dim mwy na thrafod cywirdeb iaith ynddi neu'n iaith i gynnal grym ieithyddol grŵp bychan. Ond dadl arall yw honno.

Rwyf wedi anelu at iaith sy'n rhwydd-ffurfiol drwy, er enghraifft, hepgor yr 'ŷnt' - ni welir, ar y cyfan, 'ganddynt', 'ydynt', 'maent' ac yn y blaen. Yn hytrach, dewiswyd y ffurf fwy anffurfiol 'ganddyn nhw' a 'maen nhw'. Gwnaed hynny er mwyn sefydlu cywair cynhwysol sy'n gydnaws ag ethos y maes ei hun. Gwelir hefyd bod y dyfyniadau yn cael eu cynnwys yn y Saesneg gwreiddiol gyda chyfieithiadau Cymraeg (yn achos Vygotsky, Piaget ac ambell un arall, yn Saesneg y cyfieithiadau gwreiddiol wrth gwrs).

At ei gilydd, mae'r cyfeiriadu yn y gyfrol yn dilyn arddull maes astudiaethau plentyndod ac astudiaethau diwylliannol ond gwelir, ym mhennod Dr Russell Grigg ar Hanes Plentyndod, bod y cyfeiriadu yn wahanol. Mae ef, yn gwbl addas, yn cyfeiriadu yn unol â thraddodiad maes hanes. Gwelir, felly, ôl-nodiadau yn y bennod yma'n unig.

Diolchiadau

Hoffwn ddiolch yn fawr i'r cyfranwyr: yr Athro Trisha Maynard, yr Athro Nigel Thomas, Dr Russell Grigg, Sally Thomas, Clare Grist a Susan Allan. Daw penodau Trisha Maynard a Nigel Thomas o'u cyhoeddiad Maynard, T. a Thomas, N. *An Introduction to Early Childhood Studies*. Llundain: Sage, 2004. Rwy'n ddiolchgar iddyn nhw ac i Sage am gael addasu eu gwaith. Hefyd diolch i Amguedda Kunsthistorisches, Fiena am ganiatad i ddefnyddio atgynhyrchiad o ddarlun Bruegel *Chwaraeon Plant.*

Cafwyd cyngor, cywiriadau a chymorth golygyddol gwerthfawr iawn oddi wrth Dr Elin Meek, Dr Elsie Reynolds, Robat Trefor a Robyn Tomos. Rwy'n ddyledus iawn iddyn nhw am eu hawgrymiadau a'u pensiliau coch miniog. Fi sy'n gyfrifol am unrhyw wallau sy'n sefyll. Rwy'n ddyledus iawn hefyd i Sally Wilkinson o Goleg y Drindod am ei chyngor a'i chymorth gyda'r cyhoeddi. Bu cyfraniad ariannol Canolfan Addysg Uwch Cyfrwng Cymraeg Prifysgol Cymru at gost y cyhoeddi yn arbennig o werthfawr.

Rwyf am ddiolch yn arbennig i fy nghydweithwyr yn Ysgol Addysg Blynyddoedd Cynnar, Coleg y Drindod am eu cefnogaeth a'u cyfeillgarwch amhrisiadwy dros y blynyddoedd. Braint a dileit yw cael gweithio gyda nhw.

Siân Wyn Siencyn
Coleg y Drindod
Mehefin 2008

Pennod 1

Cyflwyniad i Astudiaethau Plentyndod Cynnar

Pennod 1

Cyflwyniad i Astudiaethau Plentyndod Cynnar

Siân Wyn Siencyn

Beth yw Astudiaethau Plentyndod Cynnar?

Mae Astudiaethau Plentyndod Cynnar yn faes cymharol newydd. Sefydlwyd yr adrannau prifysgol gyntaf yn nechrau'r 1990au gyda'r bwriad, yn benodol, o gydlynu meysydd academaidd oedd yn ymwneud â datblygiad plant, addysg, iechyd, lles a gofal. Mae'r astudiaeth o blentyndod yn cynnwys ac yn uno nifer o ddisgyblaethau mwy traddodiadol: addysg, seicoleg, iechyd, meddygaeth a gwyddoniaeth, gwleidyddiaeth, polisi cyhoeddus, y gyfraith, athroniaeth a moeseg, anthropoleg, a hanes. Mae'n faes sydd yn ymdrin â themâu mawr a chysyniadau astrus: cyfiawnder, cyfrifoldeb, grym, cydraddoldeb, perthynas yr unigolyn â'r wladwriaeth.

Mae'r gyfrol hon yn cynnig cyflwyniad i rai o'r meysydd hyn. Ceir, er enghraifft, ym mhennod 2, olwg ar hanes plentyndod gan edrych ar yr holl gysyniad o blentyndod. Mae dylanwad gwaith a damcaniaethau'r hanesydd Philippe Ariès o Ffrainc yn drwm ar y maes yma er bod cryn feirniadaeth wedi bod o'i honiad mai creadigaeth gymharol ddiweddar yw plentyndod ac nad oedd y fath gyflwr â phlentyndod yn yr Oesoedd Canol. Nid oedd modd, meddai, amgyffred y cysyniad o gyfnod rhwng babandod ac oedolaeth tan yn gymharol ddiweddar.

Mae tensiwn parhaol rhwng y canfyddiad o blant bach ar y naill law fel bodau bach diniwed, angylaidd y mae angen i oedolion eu hymgeleddu a gofalu amdanyn nhw, ac ar y llaw arall fel diawliaid bach anystywallt a drwg y mae angen eu gwareiddio. Amlygwyd y ddeuoliaeth hon yn achos llofruddiaeth y plentyn bach James Bulger. Ar 12 Chwefror 1993, dygwyd plentyn bach dwyflwydd oed o ganolfan siopa yn Lerpwl. Ddeuddydd yn ddiweddarach cafwyd hyd i'w gorff, gydag anafiadau dychrynllyd, ar reilffordd. Cyhuddwyd dau fachgen deng mlwydd oed o'r llofruddiaeth, sef Jon Venables a Robert Thompson.

Gwelwyd yn ystod cyfnod yr achos llys yn erbyn Venables a Thompson gryn drafodaeth yn y wasg ynghylch drygioni plant a honno ar brydiau'n drafodaeth egr iawn. Nid oedd y ddau fachgen yn cael eu canfod fel plant ac yn sicr nid fel plant oedd ag unrhyw anghenion a oedd yn berthnasol i'w hoed a'u cyflwr fel plant. Yn wir, cynhaliwyd eu hachos mewn llys oedolion ac nid, fel yn arferol, mewn llys plant. Ni chawson nhw, ychwaith, ddiogelwch anhysbysrwydd gan i'w henwau gael eu rhyddhau i'r wasg. Dywed yr awdur Blake Morrison a fynychodd yr achos llys ac a ysgrifennodd lyfr ar yr achos:

11

Roedd achos James Bulger yn eiconaidd. Ond o edrych yn ôl, mae'r wers bron y gwrthwyneb i'r hyn a oedd ar y pryd - nid bod plant wedi tyfu'n fawr ac yn beryglus, ond bod cymdeithas oedolion wedi colli golwg ar eu maint bach a'u breuder…Roedd yn rhaid lladd y plant a oedd wedi llofruddio'r plentyn, neu o leiaf eu rhoi dan glo am byth. Roedd y gair a ddefnyddiwyd i'w disgrifio yn atal pob trafodaeth. Roedden nhw'n ddrwg.

The Bulger case was iconic. But in hindsight, its lesson is almost the opposite of what it was taken to be at the time - not that children had grown big and dangerous, but that adult society had lost sight of their smallness and vulnerability. …. The kids who had killed the kid had to be killed, or at any rate locked up for life. The word used about them stopped all arguments. They were evil.

(Guardian, 6 Chwefror 2003)

Mae cymdeithas wedi brwydo gyda'r gwrthdaro a'r paradocs yma rhwng gweld plant fel y diniwed, y gwan, y tlws, a'r diamddiffyn ac ar yr un pryd, eu gweld fel cythreuliaid anwar, peryglus a drygionus. Agorodd achos James Bulger drafodaeth yng ngwledydd Prydain sydd yn parhau hyd heddiw ynghylch natur plentyndod a phlant, sut mae plant yn cael eu gweld gan y wasg a'r cyfryngau ac mewn hysbysebion, dylanwad teledu a ffilmiau ar ymddygiad plant ac yn y blaen. Mae yn y drafodaeth yma fath o baranoia cymdeithasol ynghylch plant a phlentyndod sydd, ar brydiau, yn anodd ei ddirnad.

Flwyddyn ar ôl marwolaeth James Bulger, bu farw merch fach bum mlwydd oed o'r enw Silje yn Trondheim, tref fach yn Norwy. Roedd Silje a dau fachgen bach wedi bod yn chwarae pan aeth y chwarae o chwith a throi'n dreisiol. Anafwyd Silje yn y chwarae garw, tynnodd y bechgyn ei dillad, ei bwrw'n gas iawn, ac yna ei gadael i rewi i farwolaeth yn oerfel eira gaeafol Norwy. Mae'r tebygrwydd i achos James Bulger yn drawiadol. Ond mae gwahaniaeth mawr rhwng y modd yr ymdriniwyd â'r ddau achos:

Pan gyhoeddwyd y newyddion am ei llofruddiaeth, agorwyd yr ysgol leol yr oedd y bechgyn a Silje wedi ei mynychu gan y pennaeth a'r heddlu. Buon nhw'n siarad â phlant a rhieni, gan bwysleisio bod y plant yn ddiogel ac yn erfyn am dawelwch ac am ymatal rhag dial… Ddeuddydd yn ddiweddarach, aeth y llofruddion ifainc yn ôl i'r ysgol yng nghwmni seicolegwyr. Ni chafwyd protestiadau gan y rhieni ac ni symudwyd unrhyw blant o'r ysgol gan eu rhieni…Yn Norwy, lle mae oed troseddoldeb yn 15, yn hytrach na 10 fel ym Mhrydain, roedd y bechgyn yn cael eu trin fel dioddefwyr ac nid fel llofruddion.

12

As soon as the news of her murder was made public, the police and the local schoolmaster opened up the school that both the boys and Silje attended and talked to both parents and children, stressing how safe the children were and appealing for calm and no vengeance. ....Two days later, the young killers went back to this school, accompanied by psychologists. There were no protests and no parents withdrew their own children....In Norway, where the age of criminality is 15, as opposed to 10 in Britain, they (the boys) were treated as victims not killers.

(Kehily, 2004: 19)

Mae'r ddau achos yn amlygu'r gwahaniaethau rhwng y modd mae cymdeithasau'n gweld plant. Er bod y llofruddiaethau'r un mor erchyll ac wedi gadael trawma dychrynllyd yn eu sgîl, roedd yr ymatebion yn dra gwahanol.

Ceir, erbyn hyn, rywfaint o gytuno ymysg cymdeithasegwyr a seicolegwyr ynghylch natur gymdeithasol plentyndod a bod plentyndod ei hun yn cael ei greu drwy brosesau cymhleth o ymwneud cymdeithasol. Nid yw hyn, wrth gwrs, yn gwadu pwysigrwydd bioleg a datblygiad corfforol - mae plant ifainc, wedi'r cyfan, yn edrych yn wahanol i blant hŷn ac oedolion. Ond, fel y noda Nigel Thomas yn ei bennod, cymdeithas sydd yn diffinio'r gwahaniaethau hyn.

Beth yw plentyndod?

Rydyn ni i gyd wedi clywed yr hen ymadrodd bod plant yn bwysig *'am mai nhw yw ein dyfodol'.* Ystrydeb braidd yw clywed pobl yn sôn am blant fel 'y dyfodol' neu 'ein dyfodol'. Y ddadl yw bod rhaid gofalu amdanyn nhw a buddsoddi ynddyn nhw gan mai nhw yw 'ein dyfodol'. Nid oes, yn yr agwedd hon, awgrym bod gan blant eu hunain eu presennol a bod i blentyndod ei arwyddocâd a'i werth ei hun. Cafwyd, yn ystod y degawdau diweddar, gryn her i'r syniadau traddodiadol am blentyndod a phlant fel cyfnod o anaeddfedrwydd ac ymbaratoi at fod yn oedolyn, sef y cyflwr y dylai pob plentyn anelu ato.

A dyna, mewn ffordd, yw sail y feirniadaeth o gyfraniad seicoleg ddatblygol i'n dealltwriaeth ni o ddatblygiad plant. Golwg gronolegol sydd gan seicoleg draddodiadol, hynny yw, mae'n edrych ar ddatblygiad plant fel proses o symud o fabandod, drwy blentyndod, i lencyndod ac yna i oedolaeth, sef y cyflwr terfynol - a derbyniol - i'r llwybr dynol. Mae'r feirniadaeth hon wedi'i gwreiddio mewn astudiaethau, ymchwil, a damcaniaethau o ddisgyblaethau cymharol newydd megis cymdeithaseg ac astudiaethau diwylliannol (James a Prout 1997, Buckingham 2000, Lee 2001).

Dros y blynyddoedd diwethaf, cytunwyd yn y maes bod plentyndod yn amrywio. Nid un cysyniad absoliwt mohono. Mae'n gwahaniaethu yn ôl lle, yn ôl amser, yn ôl diwylliant. Yn wir, mae rhai megis Moss a Dahlberg (2005), yn awgrymu, erbyn heddiw, nad oes modd defnyddio'r geiriau 'plentyndod' a 'plant' mewn ffordd y byddai cytundeb cyffredinol ar eu hystyr. Mae i fywydau plant eu hamrywiol beuoedd neu feysydd: mae plant yn byw, er enghraifft, yn eu teuluoedd, yn eu hysgolion, ar eu stadau tai ac yn y blaen. Mae yma amrywiol wironeddau ac erbyn heddiw clywir termau megis '*multiplicity of childhoods*' a '*multiple childhoods*'. Mae yma niferoedd lawer o 'blentyndod-au'. Ai cyflwr biolegol yw plentyndod ynteu gysyniad diwylliannol? Mae plant, wrth gwrs, yn ifanc, yn fach, ac yn tyfu. Ac felly, mewn perthynas ag oedolion, fe'u gwelir yn aml yn fodau di-rym, anwybodus ac anaeddfed. Ond y farn, erbyn heddiw, yw bod plant yn llawer mwy grymus, medrus, a gweithredol yn eu byd.

Beth yw datblygiad plant?

Gellir canfod y broses o dyfu ac o ddatblygu yn y blynyddoedd cynnar yn un sydd yn ymwneud â meysydd penodol, er enghraifft datblygiad corfforol neu ddatblygiad deallusol. Un ffordd o gofio'r meysydd hyn yw drwy'r acronym Saesneg PILES (*physical, intellectual, linguistic, emotional and social*: corfforol, deallusol, ieithyddol, emosiynol, a chymdeithasol) sydd yn amlinellu'r meysydd datblygu. Sail y ffordd hon o edrych ar ddatblygiad cynnar yw bod plant yn datblygu mewn meysydd a bod modd mesur y datblygiad hwnnw yn erbyn set o normau datblygol. Gelwir y normau datblygol hyn yn gerrig milltir (*milestones*) ac, ar y cyfan, y byd meddygol a gweithwyr iechyd sydd yn eu defnyddio er mwyn sgrinio plant. Ar y we, gwelir cannoedd a miloedd o wefannau sydd yn rhoi cyngor i rieni ar gerrig milltir a datblygiad plant - rhai yn sicr yn fwy defnyddiol nac eraill.

Cyngor i rieni ar ddatblygiad plant o wefan y BBC

O chwe mis ymlaen, bydd eich babi yn dysgu sut i symud fel bod cropian yn cychwyn. Efallai y bydd yn cychwyn drwy gropian am yn ôl, neu efallai fydd hi ddim yn cropian o gwbl ond yn hytrach yn ei llusgo'i hun ar ei phen ôl. Bydd hi'n medru eistedd heb gymorth, ac erbyn ei bod yn naw mis oed bydd hi'n medru tynnu ei hun i fyny gan ddefnyddio dodrefn neu eich dwylo chi i'w chynorthwyo i sefyll.

Byddwch yn clywed seiniau yn cael eu hailadrodd, fel "dadadadada" yn ogystal â dynwarediad o'ch seiniau chi. Dyma flociau adeiladu'r geiriau cyntaf a fydd yn cael eu clywed oddeutu 12 – 15 mis oed.

From six months onwards your baby will be learning how to get around as crawling begins. She may start by crawling backwards, or may not crawl at all but bottom shuffle instead. She'll be able to sit without support, and by the time she's nine months old she may be able to pull herself up to stand using furniture or your helping hands.

You'll hear repeated sounds like "dadadadada" as well as imitations of sounds you make. These are the building blocks for first words which will come along around 12 to 15 months of age.

http://www.bbc.co.uk/parenting/your_kids/babies_devstagesintro.shtml

---

Mae'r syniadau ynghylch plentyndod fel amrywiaethau o wirioneddau a phrofiadau wedi tanseilio ein syniadau traddodiadol ynghylch datblygiad plant.   Er bod plant yn tyfu, yn llythrennol felly, o fod yn fach o gorff i fod yn fwy, a hynny'n gyfrifoldeb ar gymdeithas, mae datblygiad plant yn fwy cymhleth nag y mae'r term yn ei awgrymu. Bydd arferion a disgwyliadau teuluol a chymdeithasol ynglŷn â bwydo o'r fron, er enghraifft, yn gysylltiedig â nifer o faterion yn ymwneud â datblygiad plant megis deiet a datblygiad emosiynol. Nid oes amheuaeth ynghylch buddiannau llaeth y fron i fabanod yn y chwe mis cyntaf. Manteision llaeth y fam rhagor na llaeth fformiwla yw bod llaeth y fam yn cynnwys y cydbwysedd priodol o faetholion (*nutrients*), mae'n newid yn ôl angen ac oed y babi, mae'n trosglwyddo - yn y cyfnod cynnar - imiwnedd y fam i'r babi, ac mae buddiannau tymor hir iddo. Mae babanod sy'n cael eu bwydo ar y fron yn llai tebygol o fod yn ordew, yn tueddu i fod â lefel deallusrwydd uwch, a llai o debygrwydd o ddioddef o glefyd y galon (Hoddinot a Wright 2007).   Ond mae rhai mamau yn ei chael hi'n fwy anodd nag eraill i fwydo eu babanod eu hunain a hynny am nifer fawr o resymau: cymhlethdodau yn dilyn genedigaeth, iselder a salwch meddwl, gofynion gwaith ac yn y blaen.   Yn wir, mae rhai mamau sydd ag HIV yn cael eu cynghori i beidio â bwydo eu babanod eu hunain oherwydd y perygl o drosglwyddo'r firws i'w plant.

Ystyrier, hefyd, holl faes gordewdra mewn plentyndod. Mae'n destun sy'n denu cryn sylw'r dyddiau hyn - ond yng ngwledydd Prydain ac America yn bennaf. Nid yw'r un broblem wedi codi, i'r un graddau, yng ngwledydd eraill Ewrop ac yn sicr ddigon ddim mewn gwledydd sy'n datblygu. Hyd yma. Mae â wnelo gordewdra â nifer o ffactorau sydd, mewn gwirionedd, yn ymwneud â materion megis economeg bwyd, amodau a disgwyliadau gwaith, diwylliant ac arferion teuluol, trafnidiaeth ac yn y blaen.

Mae'r seicolegydd Americanaidd Urie Bronfenbrenner yn cynnig model o ddatblygiad dynol sydd yn cael ei alw'n **Damcaniaeth Systemau Ecolegol** (*Ecological Systems Theory*). Mae cyd-ddibyniaeth rhwng y systemau ecolegol cymhleth y mae Bronfenbrenner yn eu disgrifio sy'n dylanwadu ar ddatblygiad plant (gwelir mwy am y damcaniaethau hyn ym Mhennod 7).   Mae agweddau a disgwyliadau cymdeithasol yn medru dylanwadu'n fawr ar y profiadau a gaiff plant. Bydd cyflog teulu, amodau gwaith rhieni, gofynion teithio, pwysau gwaith (*stress*) yn effeithio ar gyfleoedd plant, ar eu perthynas â'u rhieni, ar berthynas rhieni â'i gilydd ac felly ar y cartref.   Bydd hyn yn wir hefyd am ffactorau megis heolydd, trafnidiaeth, parciau a meysydd chwarae ac yn y blaen. Dyma'r math o ecosystemau sydd yn effeithio ar gyfleoedd plant i chwarae, i brofi rhyddid ac annibyniaeth. Bydd y byd ehangach hefyd yn effeithio ar ddatblygiad plentyn. Er enghraifft, bydd plentyn bach sydd yn byw yn Irac yn 2007 yn cael profiadau gwahanol iawn i blentyn sydd yn byw yn Aberystwyth. Ceir enghraifft o'r modd y bydd polisi cyhoeddus yn dylanwadu ar ddatblygiad plant yn *Y Cyfnod Sylfaen 3 - 7 oed* yng Nghymru. Dyma bolisi addysg sydd â'i fwriad yn gadarn yn y nod o fowldio plant - eu meddyliau a'u cymeriadau - i fod yn hyblyg, yn greadigol, yn ddysgwyr gydol oes ac i fod yn gadarn yn eu canfyddiad ohonyn nhw eu hunain.

Mae i bob system, meddai Bronfenbrenner, ei normau a'i reolau sydd yn medru dylanwadu ar ddatblygiad yr unigolyn. Nid yw Bronfenbrenner, felly, yn gweld datblygiad yn gyfres o gamau, un yn dilyn y llall, mewn trefn benodol. Yn ei gyfrol ddylanwadol *The Ecology of Human Development* (1979) mae Bronfenbrenner yn tynnu disgyblaethau amrywiol at ei gilydd i gynnig un ddamcaniaeth gyflawn ac integredig. Cyn Bronfenbrenner, roedd seicolegwyr yn astudio plant a chymdeithasegwyr ac anthropolegwyr yn astudio'r teulu a'r gymdeithas ehangach. Nid oedd â wnelo gwaith economegwyr a damcaniaethwyr gwleidyddol nemor ddim â gwaith seicolegwyr plant. Ond roedd Bronfenbrenner yn gweld y cysylltiad anhepgor rhwng y meysydd yma i gyd a lluniodd ddamcaniaeth ar ddatblygiad plant a phobl ar sail hynny.

O dan ddylanwad damcaniaethwyr megis Bronfenbrenner, defnyddir y term datblygiad dynol erbyn hyn yn hytrach na datblygiad plant. Wedi'r cyfan, nid ydym yn gorffen datblygu a newid pan fyddwn yn cyrraedd oedolaeth. Mae datblygiad yn broses sydd yn parhau drwy gydol oes. Ond mae i'r cyfnod cynharaf mewn bywyd dynol arwyddocâd allweddol. Yn ystod yr wythnosau cyntaf, bydd baban yn ffurfio cysylltiadau neu glymau (*bonds*) cryfion â'r rhai sy'n gofalu amdanyn nhw. Yn ystod y rhyngweithio hwn rhwng baban ag eraill (mam, rhieni, teulu, cyfeillion), y bydd plant yn datblygu syniad o'r hunan a'r hyn y mae Trevarthen (2003) yn ei alw'n syniadau ynghylch eu lle arbennig nhw yn y byd (*their particular place in the world*). Honna rhai (Laevers 1994, Pascal a Bertram 1997) y daw ymdeimlad o les (*well-being*) a sicrwydd emosiynol o'r rhyngweithio hwn. Bydd plentyn bach sydd yn sicr ei fyd, sydd wedi'i gysylltu'n ddiogel ac yn gadarn ag oedolion, yn ei chael hi'n haws wynebu'r byd:

> Yn aml, bydd plant sydd ag ymdeimlad o les emosiynol isel, yn ymateb i brofiadau newydd yn betrusgar, yn ofnus, ac yn anhyblyg, heb yr ymagwedd agored, anturus sydd ei hangen er mwyn dysgu am y byd.
>
> *Children who have poor emotional well-being often respond with timidity, fear and rigidity to new experiences, lacking the open, exploratory state that learning about the world requires.*
>
> (Bertram a Pascal, 2003: 61)

Un rhagdybiaeth ynghylch plant ifainc sydd yn cael ei herio'r dyddiau hyn yw'r gred fod plant ifainc yn wan ac yn methu gweithredu yn eu bywydau eu hunain. Mae syniadau Malaguzzi, athronydd ac addysgwr blaenllaw dull Reggio Emilia, wedi dylanwadu yn hyn o beth. Clywir addysgwyr Reggio Emilia yn cyfeirio'n gyson ac yn heriol at 'y plentyn cryf' a'r 'plentyn medrus' (Rinaldi, 2005). Mae Alderson hithau'n cynnig esboniad diddorol ynghylch y modd y mae cymdeithas (cymdeithasau gwledydd Prydain yn benodol) yn gweld plant:

Colofn 1 Plant	Colofn 2 Oedolion
Anwybodus	Gwybodus
Amhrofiadol	Profiadol
Ansefydlog	Sefydlog
Gwirion	Call
Dibynnol	Gwarcheidiol
Annibynadwy ac anwadal	Dibynadwy
Gwan	Cryf
Anaeddfed	Aeddfed
Afresymol	Rhesymol
Anfedrus a di-glem	Medrus a galluog

(Alderson, 2005: 129)

Mae Alderson yn dadlau, yn sgîl discwrs ffeministaidd o gymdeithas batriarchaidd a oedd yn cadw menywod yng Ngholofn 1, bod plant, erbyn heddiw, yn cael eu canfod fel roedd merched flynyddoedd yn ôl. Dywed Alderson fod cymdeithas yn mynnu cadw plant yng Ngholofn 1 a phan fydd plant yn ceisio dangos nodweddion Colofn 2, bydd cymdeithas, mewn ffordd, yn eu cosbi. Pan fydd plentyn, er enghraifft, yn ceisio dangos aeddfedrwydd neu wybodaeth, bydd oedolion yn ei labelu (*cheeky*, haerllug, dangos ei hun, powld). Dywed Alderson, ymhellach, fod plant sydd yn ceisio symud o Golofn 1 i Golofn 2 yn aml yn cael eu cosbi ac mae oedolion, yn amlach na pheidio, am ddiogelu eu grym eu hunain drwy warchod eu meddiant o Golofn 2. Mae sgiliau plant ifainc a'u gallu i weithredu'n gadarnhaol yn eu bywydau'n amlwg i'r sawl sydd yn eu gwylio. Bydd babi ifanc iawn, er enghraifft, yn cydweithredu ag oedolyn wrth gael ei wisgo, bydd yn ymestyn ei freichiau ac yn ceisio dal ei ben wrth i oedolyn wisgo fest amdano. Gwelir babanod ifainc yn cyfathrebu'n effeithiol iawn drwy amrywiol ffyrdd megis cyswllt llygaid, estyn llaw, canolbwyntio ar wrthrych (tegan neu ddiod) er mwyn denu sylw oedolion. Nid yw'r plentyn eto'n medru rheoli ei gorff i gael ei dedi, ond mae'n gallu gweithredu'n effeithiol ar ei amgylchfyd er mwyn cydio yn y tedi yn y pen draw.

Chwarae plant

Mae chwarae yn un o'r geiriau hynny rydym yn cymryd ei ystyr yn ganiataol ond sydd yn anodd iawn ei ddiffinio'n fanwl gywir.

Play is...one of those words whose meaning most of us take for granted but whose precise definition is remarkably elusive.

(Hill a Tisdall, 1997: 100)

Nid yn unig y mae chwarae plant ifainc yn anodd iawn ei ddiffinio, mae hefyd weithiau yn anodd ei weld yn digwydd.

Ond mae lled cytundeb ynghylch ei bwysigrwydd fel proses allweddol yn natblygiad plentyn bach a bod iddo arwyddocâd penodol. Mae peth anghytuno, fodd bynnag, ynglŷn â chyffredinolrwydd y ffenomen o chwarae. Nid yw pob cymdeithas yn annog na chwaith yn caniatáu chwarae (Bruce a Meggit 2001). Ond, yn sicr ddigon, mae chwarae wedi cael ei gydnabod, ymysg damcaniaethwyr datblygiad plant Ewropeaidd, fel gweithgaredd diddorol ac arwyddocaol. Yn wir, mae dogfennaeth Y Cyfnod Sylfaen 3 - 7 yng Nghymru yn awgrymu bod chwarae'n allweddol:

> Mae'r rhaglenni mwyaf effeithiol yn y blynyddoedd cynnar yn pwysleisio gwaith archwilio, datrys problemau, cymryd rhan weithredol, datblygu iaith a mathau gwahanol o chwarae.
>
> (LICC, 2003:12).

Gwelir, yn y llenyddiaeth ymchwil ac mewn damcaniaethau, nifer o gategorïau o chwarae: chwarae ludic (o'r un tarddiad â'r gair 'ludicrous', sef o'r Roeg am hwyl), chwarae epistemic (yn gysylltiedig â dysgu), chwarae cathartig (bywiog ac ynglŷn â chael gwared ag egni sbâr), chwarae therapiwtig (er mwyn rheoli ofnau), chwarae dychmygus, chwarae creadigol, chwarae corfforol…mae'r rhestr yn un faith. Mae oedolion hefyd yn tueddu i osod chwarae mewn dau brif gategori: chwarae rhydd a chwarae strwythuredig. Chwarae rhydd yw'r chwarae y mae plant eu hunain yn ei reoli tra bydd chwarae strwythuredig yn cael ei arwain a'i reoli i raddau helaeth gan oedolion.

Ond oedolion sydd yn didoli chwarae i gategorïau, nid plant. Nid yw plant yn gwahaniaethu rhwng mathau o chwarae.

Byddai Freud a'r seicdreiddwyr yn ystyried chwarae yn ddrych ar fyd isymwybodol plentyn sy'n adlewyrchu ofnau a phryderon dyfnion. Drwy eu chwarae, bydd plant yn dod i ddeall eu pryderon ac i ddelio â nhw, a bydd hyn yn eu cynorthwyo i gael gwared ar seicosis. Os nad yw'r chwarae'n caniatáu hyn, bydd perygl i blentyn, yn ôl y ddamcaniaeth hon, dyfu i fod yn niwrotig - a gwaeth. Roedd Piaget a Vygotsky ac eraill o'r traddodiad adeileddol, yn canfod chwarae fel allwedd i ddatblygiad deallusol a chymdeithasol plant. Yn eu chwarae, mae plant yn dod i ddeall rheolau cymdeithasol, yn datrys problemau, yn cyfathrebu ag eraill ac â'u hunain (Moyles 2005). Byddai Piaget yn dadlau bod chwarae plant yn adlewyrchu lefel eu datblygiad deallusol. Nid yw'n bosibl, yn ôl Piaget, i blant chwarae tu hwnt i'w lefel. Ni fydd plentyn yn y cyfnod synhwyraidd gweithredol (*sensory-motor*) (o dan ddwy flwydd oed), er enghraifft, yn medru chwarae'n ddychmygus neu'n symbolaidd, yn ôl Piaget..

Un math o chwarae sydd yn arbennig o ddiddorol i edrych arno yw'r chwarae hewristig sydd yn cael ei ddisgrifio a'i annog gan Elinor Goldschmeid a Sonia Jackson (Jackson a Goldschmeid 2004) Chwarae heb ffiniau, heb ddiwedd, gyda gwrthrychau naturiol yw chwarae hewristig.

Chwarae gyda basged trysor

Mae Goldschmeid yn daer ynghylch y math o ddefnyddiau dylid eu cynnwys mewn basged trysor: dim ond defnyddiau naturiol ac nid unrhyw beth plastig. Cyfyng iawn, meddai, yw gwerth deallusol a synhwyrus plastig tra mae defnyddiau naturiol yn llawn cyfleoedd dysgu arbennig.

Un nodwedd ddiddorol ar y math yma o chwarae yw swyddogaeth yr oedolion. Rôl ymylol ac ymataliol sydd i'r oedolyn. Bydd oedolyn yn gosod yr amodau ar gyfer y chwarae - yn paratoi'r defnyddiau a'r gofod - ond yna'n encilio i'r ochr. Sicrhau diogelwch y plentyn, annog drwy wên a nodio, ond dyna i gyd. Nid yw'r oedolyn yn sgwrsio â'r plentyn nac yn ymyrryd yn y chwarae. Darganfod drosto'i hun mae'r plentyn. Wrth gwrs, mae rôl allweddol i'r oedolyn mewn chwarae o bob math. Ond erys cryn ddadlau ynghylch sut a phryd dylai oedolion ymwthio neu ymyrryd - mae'r geiriau eu hunain yn rhai ymosodol - yn chwarae'r plant. Cred rhai fod chwarae yn broses sydd yn perthyn i blant yn unig ac y dylai fod yn ddigymell ac yn rhydd rhag ymyrraeth oedolion (Guha 1988).

Ers peth amser bellach, gwyddom fod gwahaniaethau rhwng chwarae bechgyn a merched. Mae astudiaethau rhywedd a discwrs cyfle cyfartal wedi herio pobl sydd yn gweithio gyda phlant ifainc i edrych ar y gwahaniaethau hyn sydd yn cael eu crynhoi yma:

Mae cynnwys chwarae bechgyn a merched, ar y cyfan, yn wahanol, mae gan fechgyn themâu mwy ymosodol a themâu domestig gan ferched. At hyn, mae chwarae bechgyn yn fwy corfforol weithredol...Fodd bynnag, mae bechgyn a merched yn datblygu eu chwarae mewn dilyniant o gamau sydd yn debyg i'r hyn a ddisgrifiwyd gan Piaget. Ac mae bechgyn a merched yn dilyn yr un gweddnewidiad cyfochrog i chwarae'n gydweithredol ag eraill yn y diwedd.

Boys and girls generally play at different play content, boys more with aggressive themes and girls more with domestic themes. In addition boys' play is more physically active… However girls and boys develop their play in the same stage-like progression described by Piaget. And both genders follow the same transformation in parallel to eventually playing co-operatively with others.

(Scarlet et al, 2005: 15)

Mae'n bosibl crynhoi'r hyn a ddywed ymchwil a damcaniaeth ynghylch chwarae, er mor gymhleth ydyn nhw, yn rhai negeseuon cadarn. Mae chwarae'n ganolog i brosesau dysgu plant, ac yn sicr nid dysgu deallusol yn unig. Nid gwobr yw chwarae i'r plentyn bach felly nid yw ymadroddion megis 'Gorffen dy waith a gei di fynd allan i chwarae' yn golygu fawr i'r plentyn. Nid oes, i'r plentyn bach, wahaniaeth rhwng gwaith a chwarae. Yn ei chwarae bydd y plentyn bach yn barod iawn i gymryd risg ac nid yw'n gweld 'methiant' yn yr un ffordd ag oedolion. Bydd chwarae'n allweddol yn natblygiad hunan-barch, hyder, hunanddelwedd a lles y plentyn. Dyma, wrth gwrs, egwyddorion sy'n sail i'r Cyfnod Sylfaen 3 - 7 oed yng Nghymru

Dinasyddiaeth Plant
Mae'r syniad o blant fel dinasyddion yn un lled ddiweddar. Yn wir, cymharol ddiweddar (canol y bedwaredd ganrif ar bymtheg yn ôl rhai) yw'r cysyniad o blentyndod o gwbl.

Bu i gymdeithas ofalu am blant, o dan ddeddfau'r tlodion - hynny yw plant amddifaid neu blant oedd wedi cael eu gadael yn y wyrcws. Roedd y ddeddfwriaeth yma'n gosod cyfrifoldeb ar rieni i ofalu am eu plant eu hunain. Roedd rheidrwydd felly yn ôl y gyfraith i rieni fod yn gyfrifol am eu plant, nid cyfrifoldeb moesol yn unig oedd gofalu am blant. Cafodd awdurdodau'r plwy hwythau'r hawl i orfodi gwaith ar blant yr oedd eu rhieni'n methu gofalu amdanyn nhw. Roedd y syniad o 'ofal plant' yn un dieithr a gwaith yr asiantaethau gofal oedd sicrhau bod plant yn cael eu defnyddio fel llafur rhad er lles y gymdeithas gyfan.

Mae'r cymdeithasegydd Lorraine Fox Harding (1997) yn gosod hanes perthynas y wladwriaeth â phlant mewn trefn hanesyddol, fel hyn:

1.   Cyfnod laissez faire a phatriarchaeth

Ar yr olwg yma, cyn y 20fed ganrif, prin yw'r berthynas rhwng y plentyn â'r wladwriaeth. Y teulu, fel uned breifat, sydd yn gyfrifol am blant a'r tad yw'r penteulu. Y tad sydd yn gweithredu ar ran y teulu ac ef sydd â chyfrifoldeb dros y teulu - a grym dros blant a gwragedd hefyd. Os yw'r teulu yn methu yn ei swyddogaeth, bydd y wladwriaeth yn dod i'r adwy ac yn achub cam y plant.

2.   Y wladwriaeth baternalistaidd

Gwelir y newid yn cychwyn tua dechrau'r 20fed ganrif. Mae gan y wladwriaeth gyfrifoldeb i ymateb i ofynion a lles plant ac mae'n dechrau darparu gwasanaethau priodol. Swyddogaeth bennaf y wladwriaeth yw amddiffyn plant rhag rhieni creulon neu esgeulus.

3.   Hawliau rhieni a gwarchod teulu geni

Ar ôl yr ail ryfel byd, gwelir twf yn y wladwriaeth les ac felly gynnydd hefyd yn y berthynas rhwng plant a'r systemau cyfreithiol. Prif swyddogaeth y wladwriaeth les, yn y cyfnod hwn, yw cynorthwyo teuluoedd i wneud eu gwaith yn well drwy eu cynorthwyo i ddatrys eu hanawsterau. Erbyn y cyfnod hwn, gwelir bod tlodi, difreintiedigaeth, dosbarth a dieithrio cymdeithasol yn ffactorau allweddol.

4.   Hawliau plant

Yn ystod blynyddoedd olaf yr 20fed ganrif, daw'r cysyniad o hawliau plant yn fwyfwy amlwg. Nid aelod o deulu'n unig yw plentyn, ond mae iddo ei hunaniaeth fel unigolyn ac yn sgîl hynny daw hawliau sydd yn annibynnol ar hawliau ei rieni. Wrth wneud penderfyniadau ynghylch plant, dylid holi eu barn a chydnabod eu dymuniadau (Lansdown 2001).

Yn sgîl y cyfnod diweddar gwelwyd Deddf Plant 1989 yn cael ei gweithredu gyda'i phwyslais mawr ar egwyddorion megis: lles y plentyn (dylai pob penderfyniad yn ymwneud â phlant fod â lles y plentyn hwnnw'n sail ganolog i'r penderfyniad), pwysigrwydd ymateb i lais a safbwynt y plentyn a'u cydnabod, bod gan rieni gyfrifoldebau rhagor na hawliau mewn perthynas â'u plant, bod rhieni a theuluoedd yn bartneriaid allweddol ag asiantaethau allanol, a dylai pawb sydd yn ymwneud â phlant a theuluoedd weithredu mewn ffordd wrth-wahaniaethol.

Erbyn yr 21ain ganrif, gwelir cyfnod newydd eto, sef cyfnod dinasyddiaeth plant. Ac mae i'r cysyniad heriol hwn ei sail mewn hanes ac mewn athroniaeth wleidyddol.

UNICEF a Chonfensiwn y Cenhedloedd Unedig ar Hawliau'r Plentyn

Mae UNICEF (adain plant y Cenhedloedd Unedig - CU) yn nodi ei brif genhadaeth fel newid y byd gyda phlant (*Changing the World with Children'* – nodwch yn y Saesneg y defnydd o'r gair 'with' ac nid 'for' a'r ymroddiad cryf i gyfartaledd rhwng oedolion a phlant).

Gwraig ryfeddol o'r enw Eglantyne Jebb oedd sylfaenydd UNICEF, ac fel cynifer o wragedd sydd wedi ymroi i wella byd plant, prin iawn yw'r cof amdani ac ni ddethlir chwaith ei chyfraniad gloyw i faes astudiaeth plentyndod a dinasyddiaeth plant. Cafodd ei geni i deulu gwleidyddol a breintiedig yn swydd Amwythig ym 1878. Wedi mynychu Prifysgol Rhydychen, hyfforddodd i fod yn athrawes gynradd a dyna fu ei gwaith am rai blynyddoedd ond ymhen amser aeth i weithio gyda Chymdeithas yr Elusennau. Bu'n weithgar iawn yn gwrthwynebu'r Rhyfel Byd Cyntaf, yn enwedig felly'r hyn a oedd yn digwydd i ffoaduriaid, plant yn bennaf, ym Macedonia. Gan wrthdystio a phrotestio - cafodd ei harestio a'i charcharu - llwyddodd Eglantyne ac eraill, gan gynnwys ei chwaer – i dynnu sylw'r byd cyfforddus at ddioddefaint plant mewn rhyfel. Ym 1919, gydag arian roedd hi wedi llwyddo i'w godi drwy lobïo dynion busnes Dinas Llundain, sefydlodd Gronfa Achub y Plant (*Save the Children Fund*). Bu'n gwbl ddiflino yn ei gwaith gyda'r Gronfa ac ym 1923 bu i'r Gronfa, drwy Eglantyne, gyhoeddi'r drafft Datganiad ar Hawliau'r Plentyn a fabwysiadwyd gan Gynghrair y Cenhedloedd ymhen y flwyddyn gyda'r egwyddor hon yn sail iddo:

> Dylai'r ddynoliaeth sicrhau bod plant yn cael y gorau y gellid ei ddarparu. Dylai bywydau a datblygiad normal plant fod yn brif gonsyrn cymdeithas a chael blaenoriaeth ar ei hadnoddau. Dylai plant fedru dibynnu ar yr ymrwymiad hwnnw mewn cyfnodau da a chyfnodau gwael, mewn cyfnodau arferol ac mewn argyfyngau, mewn cyfnod o heddwch ac mewn rhyfel, mewn cyfnod o lewyrch ac mewn dirwasgiad.

> *That the lives and the normal development of children should have first call on society's concerns and capacities and that children should be able to depend upon that commitment in good times and in bad, in normal times and in times of emergency, in times of peace and in times of war, in times of prosperity and in times of recession*

Y broblem gyda'r datganiad, fodd bynnag, oedd nad yw datganiadau'n fawr iawn mwy nag egwyddorion cyffredinol. Nid oes rhaid eu mabwysiadu neu eu gweithredu gan y gwledydd sy'n aelodau o'r Cenhedloedd Unedig. Mae gan Gonfensiwn, ar y llaw arall, statws mewn cyfraith ac mae rheidrwydd a dyletswydd ar y gwladwriaethau hynny sydd yn eu cadarnhau a'u mabwysiadu (*ratify*) i'w gweithredu. Felly, yn dilyn Blwyddyn Ryngwladol y Plentyn ym 1979, aeth y CU ati i geisio troi'r Datganiad ar Hawliau'r Plentyn yn Gonfensiwn. Cymerodd ddeng mlynedd o drafod a chyfaddawdu rhwng y gwledydd cyn i Gynulliad Cyffredinol y CU fabwysiadu'r Confensiwn ar Hawliau'r Plentyn ym 1989. Er iddi gymryd blynyddoedd i wledydd y Cenhedloedd Unedig gytuno ar y Confensiwn, hyd heddiw mae dwy wlad yn parhau heb ei chadarnhau sef Somalia ac Unol Daleithiau'r America. Mae normau diwylliannol a chymdeithasol, arferion a chredoau crefyddol a myrdd o gwestiynau moesol a chyfreithiol sy'n berthnasol i wledydd unigol wedi cynnig sawl her. Er enghraifft, rôl plant yn y gweithlu mewn gwledydd sydd yn datblygu, oed priodi merched, ac oed cydsynio dynion hoyw.

Confensiwn y Cenhedloedd Unedig ar Hawliau'r Plentyn

54 erthygl yn syrthio i 4 categori bras yn cynnwys hawliau sylfaenol:

- Yr hawl i fywyd (er enghraifft: bwyd, cysgod, gofal meddygol)

- Yr hawl i ddatblygu (er enghraifft: addysg, chwaraeon a hamdden, rhyddid meddwl, crefydd, diwylliant, iaith)

- Yr hawl i gael ei amddiffyn

- Yr hawl i gyfranogi

Confensiwn y Cenhedloedd Unedig ar Hawliau'r Plentyn

Diffiniad o'r plentyn

"…pob bod dynol o dan 18 oni ddaw'r plentyn i lawn oed ynghynt, o dan ddeddfwriaeth sy'n berthnasol i'r plentyn …"

(*"...every human being below the age of 18 years unless, under the law applicable to the child, majority is attained earlier…"*)

Cwestiynau astrus
- Pam nad yw'r Confensiwn yn cyfeirio at yr adeg pryd mae plentyndod yn cychwyn?
- Beth yw cyfrifoldeb y wladwriaeth tuag at ferched beichiog?
- Pryd caiff plant ymuno â'r lluoedd arfog?
- Pryd caiff plant briodi?
- Pryd bydd plentyn yn gyfrifol am ei droseddau?
- Pryd caiff blant gyngor meddygol heb ganiatâd rhieni?

Cyhoeddodd UNICEF yn ddiweddar adroddiad damniol ynghylch lles plant mewn gwledydd cyfoethog (UNICEF 2007). Yn yr astudiaeth gymharol hon o 21 o wledydd cyfoethocaf y byd, daeth y Deyrnas Unedig (er Lloegr yn unig oedd ffynhonnell y data a gasglwyd) ar waelod y rhestr o bob un o'r dangosyddion yn cynnwys tlodi, perthynasau, ac iechyd. Mae cryn bryder, erbyn hyn, am y lefelau uchel iawn o broblemau iechyd meddwl ymysg plant a phobl ifainc yng ngwledydd Prydain. Clywir, er enghraifft, am blant ifainc iawn yn dioddef o iselder.

Cosbi plant

Un testun sydd wedi achosi her - cymdeithasol, gwleidyddol, cyfreithiol, ac o ran agweddau - yw hawl rhieni i gosbi eu plant yn gorfforol. Bu rhieni a gofalwyr yn cam-drin eu plant drwy gydol hanes, ond gelwid ymddygiad o'r fath yn greulondeb yn hytrach na chamdriniaeth. Yn y 1960au daeth newid yn y farn gyhoeddus drwy feddygon yn nodi achosion o fabanod wedi eu curo (*'battered babies'*). Ym 1973 bu farw merch ifanc, saith oed o'r enw Maria Colwell, o ganlyniad i anafiadau a ddioddefodd wrth law ei llystad. Roedd Maria o dan ofal y gwasanaethau cymdeithasol ar y pryd am ei bod yn byw mewn cartref enbyd o esgeulus. Yn dilyn marwolaeth Maria, cafwyd ymchwiliad cyhoeddus yn sgîl yr hyn a oedd yn cael ei alw'n 'moral panic' (Hill a Tisdall. 1997:198). Dros y degawdau wedi marwolaeth Maria, mae degau o ymchwiliadau tebyg i blant sydd wedi eu lladd yn eu cartrefi: Kimberly Carlile, Jasmine Beckford, Tyra Hendry, Rikki Neave, Leanne White, Victoria Climbié a llawer i un arall. Mae'r rhestr yn ddirdynnol. Mae hyn wedi tanseilio'r ddelwedd o oedolion, rhieni yn arbennig, fel gwarcheidwaid eu plant. Oedolion, a rhieni yn arbennig, yw'r perygl mwyaf i blant.

Mae'r NSPCC yn cynnig golwg frawychus ar y peryglon i blant:
- Bydd un plentyn yn cael ei ladd gan riant neu ofalwr bob wythnos yng Nghymru a Lloegr.
- Mae pymtheg y cant o blant yn dioddef camdriniaeth rywiol naill ai gan riant neu ofalwr, aelod arall o'r teulu neu gyfaill teuluol.
- Nid yw tri chwarter y plant sydd wedi eu cam-drin yn datgelu'r camdriniaeth ar y pryd. Mae oddeutu traean ohonyn nhw'n cadw'r gamdriniaeth yn gyfrinachol hyd yn oed wedi iddyn nhw gyrraedd oedolaeth.
- Mae oddeutu 32,700 o blant ar y rhestr amddiffyn plant yng ngwledydd Prydain.
- Y bobl sydd fwyaf tebygol o farw o ganlyniad i drais yw babanod o dan flwydd oed. Mae'r grŵp yma bedair gwaith yn fwy tebygol o gael eu lladd na neb arall yng Nghymru a Lloegr.

Yn sgîl y pryder a gododd o ganlyniad i'r ymchwiliadau i farwolaeth plant a'r wybodaeth gynyddol ynghylch pob math o drais, daeth y lleisiau o blaid gwahardd unrhyw fath o gosbi corfforol yn fwyfwy huawdl. Mae gan rieni, o dan ddeddf sy'n dyddio o 1861, yr hawl i fwrw eu plant a hynny o dan amddiffyniad 'ceryddu rhesymol' (*'reasonable chastisement'*). Roedd yr un ddeddfwriaeth yn rhoi'r hawl i ddyn fwrw ei wraig, ei weision, yn ogystal a'i blant. Gwaredwyd yr hawl i fwrw 'ei wraig a'i weision' erbyn 1937. Nid yw'r gyfraith yn diffinio'r term 'ceryddu rhesymol' ond mae'n gyffredin i gredu bod gadael marc ar gorff y plentyn neu ddefnyddio offeryn megis ffon neu wregys, yn 'geryddu afresymol'. Rhieni'n unig sydd yn cael defnyddio'r amddiffyniad yma. Mae hi'n anghyfreithiol i athrawon, gweithwyr mewn meithrinfeydd, neu ofalwyr plant yn gyffredin i fwrw plant. Mae'n anghyfreithiol i fwrw oedolyn ond mae'r gyfraith yn parhau i ganiatáu bwrw plant.

Os yw dyn blin yn dod adre ac yn taro ei bartner gyda chefn ei law, mae cymdeithas yn galw hynny'n ymosod. Os yw'n troi cledr ei law i'w plentyn, mae rhai yn galw hynny'n ddisgyblaeth.

If an angry man comes into his home and takes the back of his hand to his partner, society calls it assault. If he takes the palm of that hand to their child, it may be called discipline.

Penelope Leach

Cymru a Lloegr yw rhai o'r ychydig wledydd, yn sicr yn yr Undeb Ewropeaidd, sydd yn parhau i ganiatáu smacio plant. Dywed Pwyllgor y Cenhedloedd Unedig ar Hawliau Plant yn 2002:

> Mae'r Pwyllgor o'r farn nad yw cynigion llywodraeth (y DU) i gyfyngu yn hytrach na gwared amddiffyniad 'ceryddu rhesymol' yn cydymffurfio ag egwyddorion a darpariaethau'r Confensiwn...At hyn, maent yn awgrymu bod rhai mathau o gosbi corfforol yn dderbyniol ac felly yn tanseilio'r bwriadau addysgol i hyrwyddo disgyblaeth gadarnhaol a di-drais.

> *The Committee is of the opinion that (the UK) governmental proposals to limit rather than remove the 'reasonable chastisement' defence do not comply with the principles and provisions of the Convention... Moreover, they suggest that some forms of corporal punishment are acceptable and therefore undermine educational measures to promote positive and non-violent discipline.*

Fe lansiwyd 'Sdim Curo Plant! / Children are Unbeatable! Cymru ym mis Medi 2000, i gydgysylltu ac i hyrwyddo'r ymgyrch yng Nghymru. Y mae gan y Grŵp Strategaeth gynrychiolwyr o fudiadau plant yng Nghymru: Achub y Plant, Y Gymdeithas Genedlaethol er Atal Creulondeb i Blant, NCH, Barnardo's, Cymdeithas Genedlaethol y Gwarchodwyr Plant, y Sefydliad Cenedlaethol dros y Teulu a Magu Plant, a Choleg Brenhinol Pediatreg ac Iechyd Plant. Amcanion y Gynghrair yw:

- newid y gyfraith fel bod gan blant a phobl ifanc yr un amddiffyniad rhag cael eu taro ag sydd gan oedolion
- cynnal ymgyrch addysg gyhoeddus ynglŷn â pham nad yw taro plant yn iawn
- i rieni gael llawer o wybodaeth a chyngor a chefnogaeth ymarferol am ddulliau amgenach na 'tharo' a defnyddio ymagweddiad cadarnhaol tuag at fagu plant

O ganlyniad i'r ymgyrchu gan 'Sdim Curo Plant/Children are Unbeatable!, y mae Llywodraeth Cynulliad Cymru wedi ymrwymo yn gadarn i gynnal Confensiwn y Cenhedloedd Unedig ac i gefnogi amcanion yr ymgyrch.

Mewn dadl mewn cyfarfod llawn ar y 14eg o Ionawr, 2004 ynglŷn â'r Papur Gwyrdd, "Mae Pob Plentyn yn Bwysig", fe bleidleisiodd aelodau Cynulliad Cymru o blaid gwahardd taro plant o 41 o bleidleisiau i 9. Yr oedd y cynnig a dderbyniwyd yn:

"edifar bod Llywodraeth y Deyrnas Gyfunol yn parhau i gynnal yr amddiffyniad o gosbi rhesymol ac nad ydyw wedi cymryd unrhyw gam sylweddol tuag at wahardd cosbi plant yn gorfforol yn y teulu."

Yn 2004, ceisiodd cefnogwyr Seneddol 'Sdim Curo Plant! gyflwyno cymal newydd i roi amddiffyniad cyfartal i blant yn y Mesur Plant. Fe fethodd yr ymdrechion ac fe gefnogodd Llywodraeth y Deyrnas Gyfunol gymal newydd a ddaeth yn Adran 58 o Ddeddf Plant 2004. Y mae hwn yn caniatáu 'ymosodiad cyffredin' ar blant i'w gyfiawnhau fel 'cosb resymol'.

(http://www.plantyngnghymru.org.uk/2401.html)

I gloi

Nid yr un yw plentyndod i bob plentyn ac nid oes prosesau clir yn perthyn i'r cysyniad o ddatblygiad plentyn. Mae gan gymdeithas agweddau paradocsaidd tuag at blant a phlentyndod a chaiff y gwrthdaro yma ei fynegi yn amlwg yn y cyfryngau. Gwelir cyfnod o newid a chyffro yn y modd mae cymdeithasau, dros y byd, yn gweld plant ac yn eu triniaeth ohonyn nhw Un o'r dylanwadau mwyaf ar y canfyddiad hwn yw Confensiwn y Cenhedloedd Unedig ar Hawliau'r Plentyn a'r her aruthrol a ddaw yn ei sgîl. Yn y llenyddiaeth ddamcaniaethol, ceir cyfeirio cyson at bwysigrwydd arwyddocaol chwarae ym mywydau plant. Dyma, meddai llawer, yw prif gyfrwng dysgu'r plentyn bach. Ac mae oedolion yn ei chael hi, yn amlach na pheidio, yn anodd iawn i ddeall chwarae ac i ganiatáu chwarae.

Gwefannau defnyddiol:

http://www.communityplaythings.co.uk/ - am wybodaeth ynghylch chwarae a chwarae hiwristaidd yn arbennig
http://www.unicef.org.uk/
http://www.childrenareunbeatable.org.uk/
http://www.victoria-climbie-inquiry.org.uk

Cwestiynau i'w trafod ymhellach

- Pam tybed nad oes mwy o sylw yn cael ei roi i gyfraniad Eglantyne Jebb? Pwy sy'n gyfrifol am ysgrifennu hanes ac am gytuno ar y 'stori' a'r 'arwyr' sydd yn cael eu cofio?
- Sut mae polisïau cyhoeddus, megis Y Cyfnod Sylfaen a Dechrau'n Deg yn dylanwadu ar ddatblygiad plant? Beth yw rôl y wladwriaeth a pholisi cyhoeddus ym maes datblygiad plant?
- Beth yw'r ddadl o blaid dinasyddiaeth plant, yn benodol mewn perthynas â statws plant mewn cyfraith?

Pennod 2
Golwg hanesyddol ar 'ddiflaniad' plentyndod

Pennod 2

Golwg hanesyddol ar 'ddiflaniad' plentyndod

Russell Grigg

Mae plentyndod yn cael ei ddwyn oddi wrth blant. Maen nhw'n cael ei gorfodi i fod yn oedolion yn rhy gynnar....mae hi fel petaen nhw ofn chwarae. Dyw hi ddim yn cŵl i fod yn blentyn.

Children are being robbed of their childhood. They are being forced to enter the adult world too soon…they seem afraid to play. To be a child is so not cool.[1]

Dyma farn a fynegwyd yng nghynhadledd Cymdeithas Athrawon a Darlithwyr yn 2006. Cwynai llawer o gynadleddwyr am y ffyrdd y caiff plant eu hannog i dyfu i fyny'n rhy fuan gyda theuluoedd yn ildio i blant sy'n eu plagio (yr hyn a elwir weithiau yn *pester power*), er enghraifft, trwy brynu dillad 'rhywiol' i bobl ifanc a'r ffôn symudol diweddaraf. Ers y 1960au, ymddengys fod y symud o fod yn blentyn i fod yn oedolyn wedi mynd yn fwyfwy aneglur. Bydd y bennod hon yn ystyried sut mae cymdeithasau wedi edrych ar blentyndod a phlant dros y canrifoedd, gan gymryd gogwydd Cymreig pan fo'n bosibl. Bydd yn ystyried y ffynonellau, y damcaniaethau a'r dadleuon yn y maes.

Man cychwyn da yw egluro sut mae cymdeithasau'n diffinio plentyndod. Yn gyffredinol, ystyrir plentyndod yn gyfnod o ryddid, diniweidrwydd a hwyl. Gwrthgyferbynnir y ddelwedd ddelfrydol hon gan golli a cham-drin plentyndod, sy'n cael eu dwyn i gof gyda phoen gan y genre cynyddol o ysgrifennu hunan fywgraffyddol.[2] Yr honiad mai'r peth pwysicaf i'w gofio am blentyndod yw'r 'hap o bwy bynnag sy'n digwydd bod yn rieni i ni' (*the accident of whose children we happen to be*') oedd yn wir yn y gorffennol yn ogystal â'r byd sydd ohoni heddiw.[3] Mewn gwirionedd, mae'r hyn sy'n gwahanu bod yn blentyn oddi wrth fod yn oedolyn yn dibynnu i raddau helaeth ar ffactorau cymdeithasol a diwylliannol – mewn un wlad gallai plentyn briodi, ymuno â'r fyddin neu gael swydd, gweithgareddau sy'n mynd yn groes i'r syniad o blentyndod mewn llawer o gymdeithasau eraill. Er enghraifft, mae cannoedd o seremonïau priodas anghyfreithlon yn digwydd ar draws India sy'n cynnwys plant mor ifanc â phedair oed.[4]

Felly, pryd mae plentyndod yn cychwyn ac yn gorffen? Heddiw mae Confensiwn y Cenhedloedd Unedig ar Hawliau'r Plentyn yn ystyried plentyndod fel y cyfnod o enedigaeth hyd 18 oed. Roedd yr ystod hon yn fyrrach yn y gorffennol yn enwedig i blant a fagwyd mewn teuluoedd tlotach ble deuai cyfrifoldebau oedolyn yn gynt. Gallai ffiniau plentyndod

2.5 miliwn ym 1851 ac yn cyrraedd uchafbwynt o dros 6 miliwn yn 1906, sy'n cyfateb i 80 y cant o'r grŵp oedran 5-14 oed.[15] Roedd llwyddiant yr ysgolion Sul i raddau helaeth oherwydd eu hapêl i'r teulu, a byddai rhieni'n mynychu gyda'u plant.[16] Roedd gan bob cymuned yng Nghymru ei chapel ac ysgol Sul yn rhan ohono. Ystyrid mai addysgu plant i fyw bywydau duwiol oedd y ffordd orau o ddiogelu plant rhag temtasiynau'r byd.

Daw darlun cliriach o blentyndod i'r amlwg yn y bedwaredd ganrif ar bymtheg. Crëwyd ffynonellau newydd gan gynnwys ffotograffau, adroddiadau'r llywodraeth, cofnodion ysgolion a ffurflenni cyfrifiad. Mae adroddiadau'r llywodraeth (papurau seneddol) yn rhoi cyd-destun cymdeithasol pwysig trwy ddyfynnu manylion sy'n berthnasol i brofiadau plant ym meysydd iechyd, tai, addysg a chyflogaeth. Fel arfer mae'r ffynonellau prin iawn a ysgrifennwyd gan blant yn deillio o'r dosbarthiadau canol neu uwch. Felly mae llythyrau Emily Anne Lloyd, naw oed, merch rheolwr banc o Lanbedr Pont Steffan, yn amlygu ei bywyd cyffyrddus yn Oes Fictoria a dreuliwyd yn casglu rhedyn i'w gwasgu mewn llyfrau, yn glanhau'r acwariwm, ac yn darllen 'the large History of England'. Fodd bynnag mae plant di-rif nad adawsan nhw fawr ddim deunydd ar eu hôl.

Erbyn canol y bedwaredd ganrif ar bymtheg, ymddangosai cylchgronau crefyddol i blant megis *Yr Athraw i blentyn*, a *Trysorfa'r Plant*. Erbyn 1881 roedd yr olaf yn gwerthu 40,000 copi'r mis. Cyflwynwyd plant i gynnwys ehangach pan gychwynnodd Owen M. Edwards *Cymru'r Plant* ym 1892. Roedd y cylchgrawn hwn â lluniau da yn cynnwys erthyglau ar wyddoniaeth, anifeiliaid a phlanhigion, yn ogystal â hanes a llenyddiaeth Cymru. Ysbrydolodd genhedlaeth o awduron newydd a oedd yn ysgrifennu i blant a phobl ifainc, gan gynnwys Winnie Parry, Richard Morgan ac Eluned Morgan.

Mae hanes llafar yn rhoi cipolwg unigryw ar blentyndod y gorffennol. Gall cyfweliadau gynhyrchu gwybodaeth newydd am sut roedd hi i dyfu i fyny mewn teuluoedd a oedd ar gyrion cymdeithas – megis profiadau plant a fagwyd yng nghartrefi sipsiwn neu leiafrifoedd gwleidyddol a chrefyddol.[17] Tra mae rhai sy'n cael eu cyfweld ag atgofion llawn hiraeth am y gorffennol, mae eraill yn mynegi dicter ac edifeirwch. Er enghraifft, y rheini a gafodd eu cam-drin wrth fynd yn faciwîs yn blant yn ystod yr ail ryfel byd.[18] Tuedda'r atgofion mwy calonnog i ymdrin â gwerthoedd plentyndod yn hytrach na'r amodau materol. Maen nhw'n gweld plentyndod fel byd diflanedig, byd o ddiogelwch, a chyfraith a threfn ble byddai plant yn chwarae'n llawn dychymyg ag ychydig o deganau.[19] Fodd bynnag ni ddylid bychanu'r anawsterau a gysylltir â chofio plentyndod yn fanwl gywir – cyfrwng llithrig yw tystiolaeth lafar.

Plant yn y gwaith, yn yr ysgol ac yn chwarae

Am ran helaethaf hanes, roedd plant yn cael eu cymdeithasoli'n bennaf drwy'r cartref. Gwelid plentyndod yn gyfnod pan fyddai plant yn cael eu haddysgu gartre. Roedd disgwyl iddyn nhw helpu gyda dyletswyddau domestig, er y deuai peryglon yn sgil amodau byw cyfyng.

Mae adroddiadau'r papurau newydd a chrwneriaid yn datgelu bod llawer o blant ifainc wedi cael sgaldiad o gwmpas yr aelwyd neu wedi dioddef damwain ar y fferm. Mewn cymunedau gwledig, gweithiai plant ar dasgau megis codi cerrig o'r caeau a dychryn adar o'r cnydau. Yn aml byddai merched hŷn yn y trefi a'r wlad yn gwarchod brodyr a chwiorydd iau tra oedd eu rhieni yn y gwaith. O ganlyniad, cawsai merched lai o fynediad at addysg ffurfiol na bechgyn. Cynigiai'r chwyldro diwydiannol, a ddechreuodd yn y 1760au, gyfleoedd newydd i blant weithio mewn ystod o ddiwydiannau, yn arbennig y diwydiannau gwehyddu a glo.[20] Roedd plant yn rhad i'w cyflogi, yn fach ac yn ystwyth – nodweddion deniadol i'r rheini a oedd am wneud wneud elw. Ym Merthyr Tudful, cyflogwyd hyd at 600 o fechgyn a merched yng ngwaith Dowlais ym 1841. Nid oedd hi'n anghyffredin i blant mor ifanc â phedair oed gael eu cario ar gefnau'u tadau i'r pyllau yng nghymoedd de Cymru. Dechreuai'r bobl ifanc hyn weithio fel 'drwswyr' yn agor ac yn cau drysau dan ddaear.[21] Erbyn canol y bedwaredd ganrif ar bymtheg, roedd 13 y cant o'r rheini a weithiai yn niwydiant glo Prydain yn blant dan bymtheg oed; roedd y ffigwr hyd yn oed yn uwch mewn gwledydd eraill, megis gwlad Belg.

Pwnc llosg yw plant yn gweithio, am ei fod fel arfer yn cael ei drafod mewn fframwaith moesol. Heddiw, bydd plant yn llawer o wledydd y Trydydd Byd yn gweithio ochr yn ochr ag aelodau o'r teulu yn y caeau, y cartref neu'r gweithle. Gall hyn arwain at deimladau cryf o gariad ac o deimlo'n ddiogel. Yn yr un modd ym Mhrydain yn y bedwaredd ganrif ar bymtheg, roedd teuluoedd yn gwerthfawrogi cyfraniad plant i economi'r cartref ac yn hollol ddealladwy, rhoddwyd blaenoriaeth i waith a oedd yn talu neu waith angenrheidiol ar y fferm yn hytrach nag i addysg. Nid oedd cael eu curo yn y gwaith yn anghyffredin, ond mae rhai awduron yn credu bod graddfa'r cam-drin wedi cael ei gorliwio.

Yn sgil cynnydd yn rhan y wladwriaeth wrth ddarparu addysg i'r werin bobl o'r 1830au, mae corff mawr o dystiolaeth ynglŷn â phlant yn yr ysgol.[22] Yng nghyd-destun Cymru, yr adroddiad ym 1847 i gyflwr addysg yng Nghymru yw'r ffynhonnell fwyaf arwyddocaol – gelwir yr adroddiad yn Frad y Llyfrau Gleision. Arolwg tu hwnt o fanwl oedd hwn, 1,252 o dudalennau o hyd, yn cwmpasu nid yn unig fywyd yn yr ysgolion ond hefyd brofiadau plant gartref ac yn y gymuned ehangach. Ni adawyd unrhyw amheuaeth ym meddyliau sylwedyddion ynghylch yr angen am ddiwygio addysgol, yn sgil disgrifiadau o ysgoldai fel *ruinous hovels* o dan ofal athrawon hanner llythrennog. Mae'r sylw wedi tueddu i hoelio ar ragfarnau'r comisiynwyr o Lundain, a welai, er enghraifft, yr iaith Gymraeg yn rhwystr i gynnydd.[23]

Gwnaethpwyd cyfraniadau pwysig i'n dealltwriaeth hanesyddol o brofiadau ieithyddol plant yn ysgolion Cymru.[24] Ysgrifennwyd llawer am ddefnyddio'r 'Welsh Not' neu bren i berswadio plant i beidio â siarad Cymraeg. Yn ôl pob sôn cosbid plant Sir Aberteifi a gâi eu dal yn siarad Cymraeg yn y 1860au trwy orfod sefyll ar fainc a dal Beibl trwm mewn un llaw ar yr un pryd.[25] Ond mae'n anghyffredin darllen cofnodion megis y canlynol o ddyddlyfr o Esgairdawe (Sir Gaerfyrddin) ym 1887:

Today, the teacher informed the scholars that no more Welsh is to be spoken in school hours, within the school premises. The Regulation to come in force on the 1st of November.[26]

Mae pwysau'r dystiolaeth yn awgrymu nad oedd yr iaith Gymraeg yn darged unrhyw ymgyrch swyddogol i'w dileu o'r dosbarth yn y bedwaredd ganrif ar bymtheg i'r fath raddau a brofwyd gan ieithoedd lleiafrifol yn Ewrop, megis iaith y Samïaid a Ffinneg o dan reolaeth Norwy. Roedd rhieni Cymraeg eu hiaith yr un mor awyddus i'w plant ddysgu Saesneg yn yr ysgol am eu bod yn ei gweld yn iaith 'dod ymlaen yn y byd'. Fodd bynnag, o'r 1890au câi'r defnydd o'r Gymraeg yn yr ysgol gefnogaeth swyddogol, yn rhannol oherwydd i hyn gael ei gweld yn fodd o ddysgu Saesneg i fabanod Cymraeg uniaith.

Dywedir bod twf addysg orfodol yn ffactor allweddol wrth gydnabod plentyndod fel cyfnod ar wahân i fod yn oedolyn. Roedd hi'n 1881 cyn bod rhaid i blant rhwng pump a deg oed fynychu ysgol elfennol (gynradd). Yn rhannol gwelai'r awdurdodau fod addysg yn ateb i broblem troseddu ymysg pobl ifainc, tra oedd pryderon hefyd am effeithiau gweithlu heb sgiliau ar economi Prydain. Gwelwyd cychwyn ysgolion bwrdd o dan nawdd y llywodraeth i ychwanegu at yr ysgolion eglwysig a fodolai eisoes, yn ffordd o lenwi'r bylchau yn y ddarpariaeth addysgol a hynny er mwyn cyflawni anghenion poblogaeth ifanc gynyddol. Erbyn diwedd y bedwaredd ganrif ar bymtheg, roedd bron i draean poblogaeth Cymru a Lloegr dan 14 oed. Er gwaethaf gwelliannau mawr mewn cynllunio ac adeiladu ysgolion, roedd llawer o enghreifftiau o ysgolion llaith, oer, gyda llygod o bob math yn bla, ymhell i'r ugeinfed ganrif.

Mewn gwirionedd, nid oedd gan y rhan fwyaf o rieni'r dosbarth gweithiol lawer o olwg ar yr ysgolion newydd. Roedden nhw'n gwerthfawrogi pwysigrwydd addysg, ond roedd hi'n well gan lawer danysgrifio i ysgolion bach preifat a weddai'n well i'w hamserlenni gwaith a'u gwerthoedd diwylliannol. Yn eu mysg roedd ysgolion hen ferch (*dame schools*), a gynhelid fel arfer gan fenywod oedrannus a fyddai'n arolygu tua dwsin o fabanod am ychydig o geiniogau'r wythnos. Mae'r rhain wedi denu beirniadaeth gyffredinol am eu safonau gwael o ran hylendid ac addysg, ac yn aml cânt eu hanwybyddu neu eu gwthio i'r cyrion gan werslyfrau ar hanes addysg. Fodd bynnag, mae lle i awgrymu bod y meithrinfeydd cymunedol hyn yn cynnig cyfleusterau gwarchod plant cyfreithiol mewn amgylchedd cyfarwydd.[27]

Mae ymchwil i hanes chwarae plant wedi datgelu themâu cyffredin dros gyfnod o amser. Yng nghymdeithas yr oesoedd canol, byddai plant yn ymaflyd codwm, yn dringo, yn chwarae pêl a thag, yn rhedeg rasys, yn chwarae cylchyn, ac yn chwarae rhan mewn priodasau a gwyliau. Mae peintiad enwog Bruegel o'r enw *Gemau Plant* (1560) yn dangos mwy na saith deg o gêmau gwahanol, ac ni fyddai llawer ohonyn nhw allan o le yn y cyfnod modern.

Llun: Pieter Bruegel Chwarae Plant. Diolch i Amgueddfa Kunsthistorisches Fiena

Cyn datblygiad teganau masnachol, mae Pollock wedi dadlau bod chwarae dychmygus yn fwy cyffredin drwy'r cyfnod 1500 hyd 1900. Yn yr ugeinfed ganrif symudai astudiaethau o chwarae plant i ffwrdd oddi wrth ddibynnu ar gofnodion hanesyddol at arsylwi uniongyrchol ar chwarae. Yn y 1960au, arloesai Iona a Peter Opie ymchwil i faes diwylliant materol ynghlwm wrth blentyndod gan gynnwys llyfrau, teganau, caneuon a gêmau.[28] Yng Nghymru, darparodd Parry-Jones enghreifftiau o deganau, gêmau, odlau, rhigymau ac arferion a gysylltid â phlentyndod yng Nghymru oddeutu 1900.[29] Mae'r ymagweddau hyn yn gosod plant yn gadarn yn eu byd digamsyniol eu hunain gydag iaith, arferion ac agweddau'n gweithredu ochr yn ochr â ffiniau bod yn oedolyn (ond ar wahân iddyn nhw).

Hawliau plant

Mae nifer o haneswyr wedi bod yn barod i labelu'r ugeinfed ganrif yn 'ganrif y plentyn'.[30] Gan ddechrau gyda Deddf Plant (1908), delid rhieni'n gyfrifol yn gyfreithiol os bydden nhw'n esgeuluso'u plant. Mae sefydliadau megis Cymdeithas Genedlaethol Amddiffyn Plant, a sefydlwyd ym 1884, ar y cyd â diwygwyr cymdeithasol unigol, wedi achub miloedd o blant o sefyllfaoedd truenus a marwolaethau cynnar. Er gwaethaf stigmateiddio, mae llawer o blant mewn teuluoedd tlawd wedi gweld budd diwygiadau'r wladwriaeth les ar ôl y rhyfel – er enghraifft, wrth ddarparu prydau bwyd ysgol am ddim, gwasanaeth deintyddol, sbectol a lwfansau i'r teulu. Mae camau ymlaen yn y byd meddygol a safonau byw uwch wedi gostwng graddfa marwolaethau babanod o 110 i bob 1,000 o enedigaethau byw (1910), i 31 i bob 1,000 ym 1950 ac i lai na 6 ar ddiwedd yr ugeinfed ganrif.

Ers y 1960au, mae newid technolegol a chymdeithasol wedi cael effaith fawr ar fywydau plant. Mae sylwebyddion yn dadlau bod diniweidrwydd plentyndod wedi diflannu gyda datblygiadau megis plant sy'n fodelau yn y byd hysbysebu, effaith negyddol teledu, colli gêmau stryd traddodiadol plant, a chynnydd troseddu gan bobl ifainc.[31] Mae ymchwil yn dangos bod un o bob pump o blant dan oed ysgol â'i set deledu'i hun yn ei ystafell wely. Erbyn iddyn nhw gyrraedd wyth oed, mae'n un o bob tri, ac erbyn un ar ddeg oed mae'n fwy na dwy ran o dair o'r holl blant.[32] Mae Postman yn honni mae teledu yw'r prif factor yn niflaniad plentyndod.[33] Mynegir ofnau wrth i fwy a mwy o blant gilio i'w lleoedd preifat eu hunain, maen nhw'n datblygu 'diwylliant yr ystafell wely' sy'n dod â llu o broblemau seicolegol yn ei sgil.

Ymddangosodd hawliau plant ar yr agenda gwleidyddol yn fwyfwy yn ystod y 1980au. Lansiodd Plant mewn Angen ei apêl delethon gyntaf (1980), sefydlwyd *Childline* (1986), gwaharddwyd cosbi corfforol yn ysgolion y wladwriaeth (1986), a phasiwyd y Ddeddf Plant (1989), yn rhoi'r hawl i bob plentyn gael ei amddiffyn rhag cael ei gam-drin a'i ecsbloetio. Ar gynfas ehangach, mabwysiadodd y Cenhedloedd Unedig Gonfensiwn ar Hawliau'r Plentyn (1989), a gadarnheir nawr gan bron pob gwlad ledled y byd - ond nid Unol Daleithiau'r America hyd yma. Gosododd Cynulliad Cenedlaethol Cymru ei agenda ei hun, er enghraifft trwy fuddsoddi mewn dwyieithrwydd, addysg blynyddoedd cynnar a thrwy benodi'r Comisiynydd Plant annibynnol cyntaf yn 2001.

Er gwaethaf y camau hyn ymlaen, gellid dadlau bod plentyndod modern mewn argyfwng. Mae pryderon cyffredinol am lefelau tlodi, gordewdra, a phroblemau iechyd meddwl ymysg plant, gormod o ddefnydd o adloniant electronig a'r pwyslais ar brofion academaidd yn yr ysgol.[34] Yn 2006, lansiodd y Daily Telegraph ei ymgyrch yn erbyn 'marwolaeth plentyndod' mewn ymateb i alwad gan 110 o academyddion, awduron ac arbenigwyr meddygol am archwiliad manwl o ansawdd bywydau plant.[35] Mae Cymdeithas y Plant hefyd wedi comisiynu'r ymchwiliad 'The Good Childhood', ymchwiliad swyddogol cyntaf Prydain i blentyndod. Mae Dr Rowan Williams, Archesgob Caergaint, wedi ychwanegu at y ddadl trwy fynegi ei bryderon am nad yw rhieni ifainc yn medru cynnig y lefel iawn o gariad a chefnogaeth i'w plant, sydd yn eu tro, yn troi'n 'blant-oedolion' ('*infant adults*')[36] Tra mae Prydain fodern wedi profi hanner canrif o gynnydd technolegol a materol, mae dod o hyd i'r ffordd orau o gynnal plentyndod yn dal i fod yn un o'r heriau mwyaf i gymdeithas.

Materion i'w trafod ac ystyried ymhellach

- Beth yw'r gwahaniaeth rhwng eich plentyndod chi a phlentyndod eich nain a thaid/ tad-cu a mam-gu? Ystyriwch nodweddion megis teganau a chwarae, gwyliau a theithio, iechyd a diogelwch, addysg, a gwasanaethau'n gyffredinol.

- A yw ymchwilwyr yn cytuno ynglŷn ag effaith teledu ar fywydau plant ifainc ac ar eu datblygiad yn gyffredinol?

- A oedd bywydau plant yn well yn Oes Fictoria na heddiw? Ystyriwch ofal meddygol a deintyddol, gwasanaethau addysg, ymwneud â rhieni a theulu'n gyffredinol.

- Sut mae'r byd Gorllewinol cyfoes yn portreadu plant ac yn dylanwadu arnyn nhw – yn benodol y dylanwad ar ferched bach? Ystyriwch y math o ddillad sydd yn cael eu targedu at ferched ifainc, eu teganau a'u doliau.

Ôl nodiadau

1   *Daily Mail*, 12-04-2006.
2   Er enghraifft, K. Woodburn, *Unbeaten: The Story of My Brutal* Childhood, Llundain: Hodder & Stoughton, 2006; T. Macguire, *Don't Tell Mummy: A True Story of the Ultimate Betrayal*, Harper Element, 2006.
3   C. Ward, *The Child in the City*, Llundain: The Architectural Press, 1978, t.vi.
4   *Newsnight*, BBC 2 darllediad, 7-06-2006.
5   A. Davin, 'What is a Child?' yn A. Fletcher, A & S. Hussey, *Childhood in Question*, Manceinion: Manchester University Press, 1999, t.28.
6   P.S. Fass (gol.), *op cit.*, 2004, Cyf.2, t.592. Gweler hefyd N. Orme, *Medieval Children*, Llundain: Yale University Press, 2001.
7   L. Pollock, *Forgotten Children: Parent - child Relations 1500-1900*, Cambridge: Cambridge University Press, 1983; K. Wrightson, *English Society 1580*-1680, Llundain: Hutchinson, 1982, tt.104-118.
8   R. Houlbrooke, *The English Family 1450-1700*, Llundain, Longman, 1984.
9   Am arolwg o eiddo personol plant yn y cyfnodau diweddarach, gweler S. Keville-Davies, *Yesterday's Children*, Woodbridge: Antique Collectors' Club, 1991. Er enghraifft, B. Hanawalt, *Growing up in Medieval Llundain*, Rhydychen: Oxford University Press, 1993; Gweler hefyd S. Crawford, *Childhood in Anglo-Saxon England*, Stroud: Sutton Publishing, 1999.
10 R. Archard, *Children: Rights and Childhood*, Llundain: Routledge, 1994, 20.
11 Ar gyfer peintiadau sy'n portreadu plant teuluoedd o Gymru, megis y Manseliaid o Fargam, gweler P. Lord, *Diwylliant gweledol Cymru: delweddu'r genedl*, Caerdydd: Gwasg Prifysgol Cymru, 2000, tt.32, 118, 126.
12 Gweler A. Higonnet, *Pictures of Innocence*, Llundain: Thames and Hudson, 1998.
13 E. Shorter, *The Making of the Modern Family*. Efrog Newydd: Basic Books, tt.11, 170, 192-6. Gweler hefyd E. Ewing, *History of Children's Costume*, Llundain: Bibliophile, 1977.
14 D. Evans, *A Short, Plain Help for Parents*, Philadelphia, 1740, t.v.
15 F.M.L Thompson, *The Rise of Respectable Society*, Llundain: Fontana Press, 1988, t.140
16 I. G. Jones, *Communities. Essays in the Social history of Victorian Wales*, Llandysul: Gwasg Gomer, 1987, t.128.

17   Gweler A.O.H. Jarman ac E. Jarman, *The Welsh Gypsies. Children of Abram Wood*, Caerdydd: Gwasg Prifysgol Cymru, 1991; P. Cohen, *Children of the Revolution. Communist Childhood in Cold War Britain*, Llundain: Lawrence and Wishart, 1997.

18   Gweler S. Hylton, *Their Darkest Hour,* Thrupp, Sutton, 2003; J. Gardiner, *The Children's War*, Llundain: Portrait, 2005.

19   G.R. Galbraith, *Reading Lives. Reconstructing Childhood, Books and Schools in Britain, 1870-1920*, Efrog Newydd: St Martin's Press, 1997.

20   P.S. Fass. (gol.), *op cit.,* 2004, t.159.

21   R. Davies, *Hope and Heartbreak. A Social History of Wales and the Welsh, 1776-1871*, Caerdydd: Gwasg Prifysgol Cymru, 2005, t.108.

22   Gweler W.B. Stephens a R.W. Unwin, *Materials for the Local and Regional Study of Schooling, 1700-1900* Leeds: British Records Association, 1987. Hefyd G. McCulloch (gol.), *The RoutledgeFalmer Reader in the History of Education*, Llundain: Routledge, 2005.

23   G.T. Roberts, *The Language of the Blue Books - The Perfect Instrument of Empire*, Caerdydd: Gwasg Prifysgol Cymru, 1998.

24   R. Smith, *Schools, Politics and Society*, *Elementary Education in Wales 1870-1902*, Caerdydd: Prifysgol Cymru, 1999; I.W. Williams (gol.), *Gorau Arf: Hanes Sefydlu Ysgolion Cymraeg 1939-2000,* Y Lolfa, 2002.

25   D. Parry-Jones, *Welsh Children's Games and Pastimes,* Dinbych: Gwasg Gee, 1964, t.151.

26   M.E. Williams, *Hanes Ysgol Esgerdawe*, Llandysul: Gwasg Gomer, 1982, t.112.

27   G.R. Grigg, 'Nurseries of Ignorance? Private Adventure and dame schools for the working classes in Wales', History of Education, *34 (3) 2005, 243-262.*

28   I & P. Opie, *The Lore and Language of Schoolchildren* 1959, *Children's Games in Street and Playground*, Rhydychen: Oxford University Press,1969. Gweler hefyd A. Burton, *Children's Pleasures*, Llundain: V&A Publications, 1996.

29   D. Parry-Jones, *Welsh Children's Games and Pastimes,* Dinbych: Gwasg Gee, 1964.

30   H. Cunningham, *Children and Childhood in Western Society since 1500*, Longman: Llundain, 1995, pennod 7. Gweler hefyd, S. Humphries et al, *A Century of Childhood*, Llundain: Sidgwick and Jackson, 1988.

31   H. Hendrick, *Children, childhood and English society 1880-1990*, Caergrawnt: Cambridge University Press, 1997, t.95.

32   Dyfynnwyd gan J. Humphries, *Devil's Advocate*, Llundain: Arrow Books, 2000, t.75.

33   N. Postman, *The Disappearance of Childhood*, Efrog Newydd: Dell Publishing, 1984.

34   A. H. Halsey, *Change in British* Society, Rhydychen: OUP, 1995 t.130.

35   The Daily Telegraph, 13-09-2006. Gweler hefyd S. Palmer, *Toxic Childhood*, Llundain: Orion, 2006.

36   http://www.timesonline.co.uk/article/0,,2-2363363,00.html (cyrchwyd 18-09-2006).

Pennod 3
Cymdeithaseg Plentyndod

Pennod 3

Cymdeithaseg Plentyndod

Nigel Thomas

Beth yw cymdeithaseg?

Yn gyffredinol, mae cymdeithaseg yn ymwneud ag astudio a deall prosesau cymdeithasol a strwythurau cymdeithasol. Gellir astudio'r rhain ar nifer o lefelau gwahanol, er enghraifft:

- Mae'r **lefel macro** yn ymwneud â phatrymau demograffeg (poblogaeth ac yn y blaen) a chyda newidiadau byd-eang mewn patrymau a chysylltiadau cymdeithasol.
- Mae'r **lefel meso** yn edrych ar sefydliadau cymdeithasol megis y teulu, gwaith, hamdden, addysg ac yn y blaen.
- Mae'r astudiaethau **lefel micro** yn astudio rhyngweithio cymdeithasol, er enghraifft y berthynas rhwng ysgol a chartref, rhwng y teulu a'r gweithle.

Mae prif gysyniadau trefnu y mae cymdeithasegwyr yn eu defnyddio'n cynnwys syniadau am gysylltiadau cymdeithasol – awdurdod, cydlyniad cymdeithasol, gwrthdaro. Hefyd, mae'n ymwneud â chategorïau cymdeithasol fel dosbarth, ethnigrwydd a rhywedd ynghyd â phrosesau cymdeithasol ehangach megis 'moderneiddio'.

Ar ddechrau'r ugeinfed ganrif, roedd cymdeithasegwyr Ewropeaidd cynnar fel Emile Durkheim a Max Weber yn ymddiddori mewn cyfundrefn gymdeithasol ac yn y berthynas rhwng yr unigolyn a'r gymdeithas. Roedden nhw'n gofyn cwestiynau fel:

- Beth sy'n clymu pobl at ei gilydd mewn grwpiau cymdeithasol?
- Sut mae pobl yn dod i rannu systemau cred a beth sydd yn gyfrifol am y gwahaniaethau mewn systemau cred?
- Pam y mae pobl yn ufuddhau i awdurdod?

Erbyn canol y ganrif, y prif leisiau yn y maes oedd y cymdeithasegwyr Americanaidd fel Talcott Parsons. Roedden nhw'n anelu at adeiladu damcaniaeth gynhwysfawr a fyddai'n esbonio popeth, o ran eu swyddogaethau, o strwythurau cymdeithasol byd-eang i fanylder cysylltiadau cymdeithasol. Roedd beirniaid fel C. Wright Mills yn cymryd mwy o ddiddordeb yn y gwrthdaro buddiannau (*conflicts of interest*) rhwng grwpiau gwahanol mewn cymdeithas. Yn y 1960au, datblygwyd cangen o gymdeithaseg a oedd yn ymwneud mwy â rhyngweithio cymdeithasol – er enghraifft, Erving Goffmann, a astudiodd sut mae unigolion yn cyflwyno'u hunain mewn cymdeithas, a Harold Garfinkel, a ganolbwyntiodd ar fanylder rhyngweithio megis, er enghraifft, y rheolau a'r arferion sy'n rheoli sgyrsiau rhwng pobl.

Daeth damcaniaeth gymdeithasoli dan y lach yn fwyfwy yn y 1970au gan gymdeithasegwyr a gymerodd ddull rhyngweithiadol (*interactionist*) fel Norman Denzin. Arweiniodd astudiaethau o ryngweithio oedolyn-plentyn a rhyngweithio plentyn-plentyn, a myfyrdodau arnyn nhw, at anfodlonrwydd gyda 'chymdeithasoli' fel model ar gyfer yr hyn yr arsylwyd yr oedd wedi digwydd. Mae Mackay (yn Waksler, 1991) yn defnyddio'r enghraifft o gydadwaith a arsylwyd arno rhwng plentyn ac athro/athrawes am ddealltwriaeth plentyn o stori, i ddangos sut mae'r athro/athrawes yn trin y plentyn fel plentyn analluog drwyddi draw mewn perthynas â'r dasg, a sut mae dadansoddiad o'r rhyngweithio'n dangos ei fod yn tybio gradd uchel o allu ar ran y plentyn i wneud iddo weithio.

Mae Matthew Speier yn cyflwyno beirniadaeth rymus. Mae'n dadlau bod diddordebau traddodiadol mewn datblygu a chymdeithasoli wedi esgeuluso 'y sylfaen ryngweithiol i fywyd grwpiau dynol':

> Mae safbwyntiau traddodiadol wedi gorbwysleisio'r dasg o ddisgrifio proses ddatblygiadol y plentyn o dyfu'n oedolyn ar draul ystyriaeth uniongyrchol o sut mae digwyddiadau bywyd pob dydd yn edrych mewn plentyndod…mae safle deallusol a dadansoddol cymdeithasegwyr yn ideolegol yn ei hanfod yn yr ystyr eu bod wedi defnyddio syniad oedolyn o'r hyn yw plant a'r hyn y dylen nhw fod sydd fel lleygwyr yn y diwylliant.

> *The traditional perspectives have overemphasised the task of describing the child's developmental process of growing into an adult at the expense of a direct consideration of what the events of everyday life look like in childhood…the intellectual and analytic position of sociologists is essentially ideological in the sense that they have used an adult notion of what children are and what they ought to be that is like that of the laymen in the culture.*

(Speier, 1976:170)

Seicolegwyr, cymdeithaseg a phlentyndod

Mae prif gysyniadau sy'n fframwaith i seicoleg ddatblygiadol yn wahanol iawn i'r rhai a ddefnyddir gan gymdeithaseg - cysyniadau fel *dysgu, cyflyru* neu weithiau *datblygu*. Mae'r rhan fwyaf o drafodaethau am seicoleg plant yn dechrau gyda Piaget, yr oedd ei brif fewnwelediad yn golygu bod y plentyn yn dysgu deall y byd yn well wrth iddo symud ymlaen trwy gyfres o gamau datblygiadol a nodweddir gan gynlluniau cysyniadol mwyfwy soffistigedig. Adolygodd Margaret Donaldson a phobl eraill Piaget trwy ddefnyddio ymchwil a ddangosodd fod plant yn gallu deall cysyniadau yr ystyriwyd eu bod y tu hwnt i'w cyrraedd petai'r tasgau'n cael eu cyflwyno mewn ffordd a oedd yn 'gwneud synnwyr' i'r plentyn. Mae hyn yn gysylltiedig â syniadau Vygotsky, cyfoeswr cynnar Piaget, am y 'parth datblygiad procsimol' (*zone of proximal development*) sef yr ardal y mae dysgu'r plentyn yn gallu symud ymlaen ynddi gyda chymorth.

Mae yna wahaniaethau eraill rhwng Piaget a Vygotsky. Credir weithiau bod Piaget yn gweld y plentyn fel dysgwr unig, ar ei ben ei hun tra bod Vygotsky'n cael ei ganfod yn ychwanegu safbwynt a chyd-destun cymdeithasol i'r broses o ddysgu a datblygu. Mewn gwirionedd, pwysleisiodd Piaget elfen gymdeithasol mewn dysgu, ond ymddangosai hefyd fel petai'n gweld yr hyn a ddysgwyd yn naturiol - mae yna ddilyniant naturiol o un fframwaith cysyniadol i'r llall a thasg y plentyn yw ei ddarganfod. I Vygotsky, yr hyn y mae'r plentyn yn ei ddysgu yn anad dim yw diwylliant, ac felly mae rôl pobl eraill mewn dysgu yn angenrheidiol. Gan adeiladu ar y syniadau hyn, dechreuodd nifer o seicolegwyr gan gynnwys Jerome Bruner, Martin Richards a Paul Light archwilio dimensiwn cymdeithasol datblygiad seicolegol yn fanylach.

Ar yr wyneb, gallai ymddangos bod seicoleg wedi cydgyfarfod â'r ddamcaniaeth gymdeithasoli, am ei fod wedi mynd o weld datblygiad fel proses naturiol o 'ddatblygu' neu o'r plentyn yn darganfod yr hyn sydd eisoes yn y byd, i ffocws ar y broses o drosglwyddo normau diwylliannol a ffyrdd o weld a gwneud pethau. Mewn gwirionedd, mae'r seicoleg newydd yn wahanol iawn i ddamcaniaeth gymdeithasoli draddodiadol yn union oherwydd yr hyn a addysgodd Piaget i ni am gyfranogiad gweithgar y plentyn mewn dysgu, a chred Vygotsky ym mhwysigrwydd prosesau deialog a thrafod greddfol sydd mewn dysgu diwylliannol. Mae'r haenau hyn yn y ddamcaniaeth yn llawer mwy cydgyfeiriol gydag, er enghraifft, safbwynt cydadweithiol Denzin nag y maen nhw gyda damcaniaeth gymdeithasoli glasurol. Mae Barbara Rogoff (1989) yn ysgrifennu am 'gyd-gymdeithasoli datblygiad gan blant ifainc ac oedolion' ('*the joint socialization of development by young children and adults*'); mae hi'n dadlau bod y plentyn o'r oedran cynharaf yn gyfranogwr gweithgar ym mhrosesau cymdeithasoli datblygiad.

Anthropolegwyr, cymdeithaseg a phlentyndod

Anthropoleg, yn llythrennol, yw 'astudiaeth o bobl'. Fe'i datblygwyd fel disgyblaeth academaidd ar ddiwedd y bedwaredd ganrif ar bymtheg a dechrau'r ugeinfed ganrif. Yn gyntaf yn y maes oedd anthropoleg gorfforol (yr astudiaeth o amrywiadau mewn mathau corfforol o gwmpas y byd), gydag anthropoleg ddiwylliannol yn dilyn yn agos (astudiaeth o arferion a ffordd o fyw), y datblygodd anthropoleg gymdeithasol fodern ohono gyda'i ffocws ar gysylltiadau carennydd (*kinship*) a systemau cred. O'r dechrau, datblygodd anthropoleg ddull amlwg yn seiliedig ar arsylwi agos a chofnodi manwl mewn 'nodiadau maes', a adwaenir fel ethnograffeg. Roedd y ffocws i raddau helaeth ar gymdeithasau 'cyntefig' neu 'lwythol' - pobl sy'n 'wahanol' i 'ni' y credwyd i hynny fod yn sylweddol, ond yn y blynyddoedd diwethaf, mae'r un dulliau a chysyniadau wedi'u cymhwyso i gymdeithasau'r Gorllewin.

45

Fel cymdeithasegwyr, roedd anthropolegwyr ar ei hôl hi am flynyddoedd lawer wrth gymhwyso'u cysyniadau a'u dulliau i blant a phlentyndod. Tueddai anthropolegwyr i ddibynnu ar oedolion oedd yn adrodd am blant, i astudio ymddygiad oedolion a chredoau oedolion, i ymddiddori mewn rhwydweithiau cymdeithasol oedolion, ac i rannu pryderon oedolion. Ym 1973, dadleuodd Charlotte Hardman fod plant yn 'grŵp tawel' (y term mae hi'n ei ddefnyddio yw '*muted group*') a oedd wedi'u hanwybyddu gan anthropolegwyr ac nad oedden nhw wedi cael llais yn y cofnod anthropolegol. Awgrymodd hi fod plant yn haeddu cael eu hastudio fel grŵp gyda'u diwylliant eu hunain, eu rhwydwaith eu hunain o berthnasoedd, eu credoau eu hunain a'u gwerthoedd eu hunain. Yn raddol, trodd mwy a mwy o anthropolegwyr eu sylw at blentyndod a bywydau plant. Mae hyn wedi bod yn bwysig ar gyfer yr astudiaeth o blentyndod am y rhesymau canlynol:

- Mae'n cynnig edrych ar blant nid yn unig fel oedolion sy'n datblygu neu oedolion i ddod, ond fel pobl eu hunain.

- Mae'n cynnig edrych ar blant nid yn unig yn eu teuluoedd neu yn yr ysgol, ond yn eu grŵp o gyfoedion, yn gweithio, yn rhyngweithio gyda phlant eraill a chydag oedolion y tu mewn a'r tu allan i'w grŵp teuluol.

- Mae'n cynnig cymryd esboniadau a chredoau plant eu hunain o ddifrif, yn yr un ffordd ag y mae anthropoleg yn parchu adroddiadau oedolion o'u diwylliant eu hunain.

Y 'paradeim newydd'

Caiff cymdeithaseg gyfoes plentyndod ei gwahaniaethu gan ddau syniad canolog. Yr un cyntaf yw bod plentyndod yn adeiladwaith cymdeithasol. Mae astudiaethau hanesyddol a thrawsddiwylliannol wedi dangos i ni fod 'natur' plentyndod yn eithriadol o amrywiol yn ôl y cyd-destun cymdeithasol, a bod plentyndod yn cael ei ddiffinio a'i greu'n gymdeithasol. Mae'r prosesau biolegol sydd ynghlwm wrth dyfu i fyny a mynd yn hŷn yn real ond caiff patrwm ac ystyr y newidiadau hyn eu strwythuro a'u cyflwyno gan gymdeithas a diwylliant. Yr ail syniad yw'r gydnabyddiaeth gynyddol rydym wedi'i gweld mewn cymdeithaseg, seicoleg ac anthropoleg sef bod rhaid i blant gael eu hystyried yn gymdeithasol weithredol, yn asiantaethau grymus, ynddyn nhw eu hunain, y term a ddefnyddir yn aml yw 'gweithredwyr cymdeithasol' (*social actors*). Mae diffyg presenoldeb gweithredol plant mewn cymdeithas yn cael ei adlewyrchu gan eu habsenoldeb mewn damcaniaeth.

Mae'r ddau fewnwelediad hyn, bod plentyndod yn adeiladwaith cymdeithasol a bod plant yn weithredwyr cymdeithasol, yn elfennau allweddol yn yr hyn a alwyd yn baradeim (*paradigm*) newydd ar gyfer cymdeithaseg plentyndod.

Beth yw paradeim?

Fframwaith damcaniaethol yw paradeim. Mae'n ffordd sylfaenol o ddeall neu o ddehongli realiti sy'n sail i ddamcaniaethau penodol, a phartrwm neu sail i ffordd o feddwl.

Pan gafodd ffiseg Newton, er enghraifft, ar sail disgyrchiant ei ddymchwel gan ffiseg Einstein ar sail perthynoledd, crëwyd paradeim newydd lle gofynnwyd cwestiynau gwahanol a rhoddwyd mathau gwahanol o atebion.

Mae newidiadau yn y ffordd mae cymdeithas – y gyfraith, y cyfryngau, y diwylliant, yr economi – yn canfod plant yn gorfodi paradeimau newydd. Os nad yw plant yn eiddo i'w rhieni, beth yw eu perthynas â chymdeithas? Pam bod rhaid diogelu plant, yn benodol, o rai mathau o ecsploitio? Pam bod hi'n iawn i blant ymgymryd â rhai mathau o waith ond nid mathau eraill o waith? Pwy sydd i benderfynu?

Mynegwyd y paradeim cymdeithasegol newydd hwn yn glir gan Alan Prout ac Allison James (1990). Maen nhw'n ei ddisgrifio fel patrwm 'ymddangosiadol', oherwydd nid yw wedi datblygu'n llawn eto ond mae'n dal i fod yn y broses o gael ei ffurfio. Mae Prout a James yn nodi nodweddion amlwg y patrwm newydd fel a ganlyn (1990: 8-9):

1. Caiff plentyndod ei ddeall fel adeiladwaith cymdeithasol. Yn hynny o beth, mae'n cynnig ffrâm ddeongliadol ar gyfer rhoi blynyddoedd cynnar bywyd dynol mewn cyd-destun. Nid yw plentyndod, sydd ar wahân i anaeddfedrwydd biolegol, naill ai'n nodwedd naturiol na chyffredinol o grwpiau dynol ond mae'n ymddangos fel cydran strwythurol a diwylliannol penodol llawer o gymdeithasau.

2. Mae plentyndod yn newidyn (*variable*) dadansoddiad cymdeithasol. Ni ellir ei wahanu'n gyfan gwbl o newidynnau eraill fel dosbarth, rhywedd, nac ethnigrwydd. Mae dadansoddiad cymharol a thrawsddiwylliannol yn datgelu amrywiaeth o blentyndodau yn hytrach na ffenomenon sengl a chyffredinol.

3. Mae perthnasoedd a diwylliannau cymdeithasol plant yn haeddu cael eu hastudio ynddyn nhw eu hunain, yn annibynnol o safbwyntiau a phryderon oedolion.

4. Mae plant yn weithredol a rhaid iddyn nhw gael eu hystyried yn weithredol yn adeiladwaith a phenderfyniad eu bywydau cymdeithasol eu hunain, bywydau'r sawl sydd o'u cwmpas ac o'r cymdeithasau maen nhw'n byw ynddyn nhw. Nid yw plant megis goddrychau goddefol strwythurau a phrosesau cymdeithasol.

5. Mae ethnograffeg yn fethodoleg hynod ddefnyddiol ar gyfer astudio plentyndod. Mae'n galluogi plant i gael llais a chyfranogiad mwy uniongyrchol wrth lunio data cymdeithasegol na'r hyn sy'n bosibl fel arfer trwy arddulliau ymchwil arbrofol neu arolwg.

6. Mae plentyndod yn ffenomenon mewn perthynas â lle mae hermeniwteg ddwbl y gwyddorau cymdeithasol yn hynod bresennol (gweler Giddens, 1976). Hynny yw, mae cyhoeddi patrwm newydd o gymdeithaseg plentyndod yn golygu hefyd cymryd rhan mewn ac ymateb i'r broses o ailadeiladu plentyndod mewn cymdeithas.

Mae'r safbwynt hwn wedi cynhyrchu cryn dipyn o ymchwil ysgogol, llawer ohono yng Ngogledd Ewrop a Sgandinafia. Ar yr un pryd, mae cymdeithasegwyr yng Ngogledd America wedi parhau i ddatblygu ymchwil a gwaith damcaniaethol ar ddealltwriaeth o blentyndod. Cyfrannodd Corsaro (1997) yn sylweddol at feddwl am y berthynas rhwng strwythur a gweithrediad mewn plentyndod, gyda'i gysyniad o atgynhyrchu dehongliadol (interpretive reproduction). Y syniad y tu ôl i'r cysyniad hwn yw bod plant yn gweithio i atgynhyrchu eu hunain, eu diwylliant a'u perthnasoedd cymdeithasol, ond wrth wneud hynny, maen nhw yn eu dehongli drostyn nhw eu hunain. Dywed Corsaro fel hyn:

*   Mae plant yn cyfrannu'n weithredol at greu diwylliant ac at newid diwylliannol
*   Mae plant yn cael eu cyfyngu gan y strwythur cymdeithasol presennol a chan atgynhyrchu cymdeithasol.
*   Oddi fewn i'r cyfyngiadau hyn, mae cyfranogiad plant yn greadigol ac yn arloesol.

Astudio plant mewn cymdeithas

Mae'r dulliau a ddefnyddir gan gymdeithasegwyr i astudio plant mewn cymdeithas yn amrywio mewn perthynas â nifer o ffactorau gwahanol, yn enwedig lefel y dadansoddi:

1. Ar lefel micro, mae'r ymchwil yn ymwneud ag astudio plant fel unigolion neu mewn rhyngweithiad cymdeithasol. Gallai ymchwil ar y lefel hon fod yn ansoddol neu'n feintiol ond mae'n fwy tebygol o fod yn ansoddol. Yn aml, mae ymchwil o'r fath yn ffafrio defnyddio dulliau cyfathrebu sydd o fewn cyrraedd plant ac sy'n defnyddio'u gallu – er enghraifft darlunio, ysgrifennu a defnyddio straeon.

2. Ar lefel meso, mae'r ymchwil yn ymwneud ag astudio bywydau plant ar raddfa fwy o faint, mewn perthynas â sefydliadau fel yr ysgol, y teulu neu'r cyfryngau, mewn gweithgareddau fel hamdden, chwaraeon neu deithio, neu o ran 'problemau' fel tlodi, salwch, anabledd, digartrefedd, ysgariad a gwahanu, troseddau, camdriniaeth, pornograffi, rhyfel a newyn. Mae ymchwil o'r fath yn tueddu i ddefnyddio dulliau arolwg, data ystadegol, neu'n rhoi canfyddiadau nifer o astudiaethau 'micro' at ei gilydd.

3. Ar lefel macro, mae'r ymchwil yn ymwneud ag astudio bywydau plant ar raddfa fwy o faint. Gallai hyn gynnwys newidiadau hanesyddol yn natur plentyndod ac mewn patrymau cysylltiadau plentyn-oedolyn, neu berthnasoedd byd-eang a chenedliadol rhwng plant ac oedolion. Mae'r ymchwil hwn yn defnyddio data ystadegol neu waith dadansoddol a damcaniaethol ar sail damcaniaeth neu ymchwil presennol.

Mae'r rhan fwyaf o'r ymchwil y byddwn yn ei ystyried yn y bennod hon ar lefel micro, oherwydd dyna lle caiff y rhan fwyaf o'r gwaith yn y 'paradeim newydd' ei wneud. Fodd bynnag, mae yna rywfaint o waith pwysig yn cael ei wneud ar y lefelau eraill hefyd.

Plant a'u cyfoedion

Mae Corsaro yn defnyddio'i gysyniad o 'atgynhyrchu dehongliadol' (*interpretive reproduction*) wrth astudio diwylliannau cyfoedion plant. I Corsaro, diffinnir diwylliant cyfoedion mewn rhyngweithio, ond cymer hwn ffurfiau gwahanol ar oedrannau gwahanol. Caiff cyfranogiad cynnar plant mewn diwylliant cyfoedion ei gyflwyno gan oedolion - er enghraifft, mae'n digwydd mewn darpariaeth blynyddoedd cynnar, cyn ysgol bydd rhieni'n dewis ar gyfer eu plant. Yn y lleoliadau hyn, mae plant yn dod ar draws syniadau ynghylch rhannu a pherchenogaeth ar y cyd a chyfeillgarwch am y tro cyntaf. Yn ôl Corsaro, y themâu canolog yn 'niwylliannau cyfoedion cychwynnol' plant yw: ymdrechion i gael rheolaeth o'u bywydau, ymdrechion i rannu'r rheolaeth honno gyda'i gilydd, a phwysigrwydd maint a'r syniad o 'dyfu i fyny'. Mae'n archwilio'r themâu hyn trwy astudiaethau o arferion chwarae, y ffordd mae plant yn amddiffyn eu gofod rhyngweithiol, ac o arferion a defodau rhannu. Mae Corsaro'n dangos sut mae plant yn dysgu am annibyniaeth a rheolaeth trwy herio a gwawdio awdurdod oedolion a thrwy wynebu ofnau a gwrthdrawiadau mewn chwarae ffantasi. O gymharu â safbwynt traddodiadol y seicolegydd o alluoedd cynhenid plant yn datblygu wrth iddyn nhw aeddfedu, neu safbwynt traddodiadol y cymdeithasegwr o rolau a gwerthoedd yn cael eu hargymell gan sefydliadau a phrosesau cymdeithasol allanol, mae'n pwysleisio pwysigrwydd edrych ar ffenomena felly fel gwrthdaro a chyfeillgarwch fel prosesau cyfunol a diwylliannol.

Mewn cyfnodau oedran diweddarach, mae Corsaro yn canolbwyntio ar wahaniaethu cymdeithasol: gwahaniaethu rhywedd, hierarchaethau statws, grwpiau craidd a phlant 'wedi'u gwrthod, wedi'u hesgeuluso neu ddadleuol' (`rejected, neglected or controversial children'). Mae'n rhoi rhybudd am dybio bod y prosesau hyn yr un fath ym mhob man, gan ddadlau bod gwahaniaethu diwylliannol yn bwysig bob amser. Fodd bynnag, mae rhai themâu'n tueddu i fod yn gyson bresennol; er enghraifft mewn diwylliannau cyfoedion cyn-llencyndod mae'n sylwi ar y patrymau a'r materion gwahanol sy'n ymddangos yn nodweddiadol yn y grŵp oedran saith i dair ar ddeg oed, mwy o sefydlogrwydd ym mhatrymau cyfeillgarwch a'r ffenomena 'ffrindiau gorau', o grwpiau a chynghreiriau cyfeillgarwch ac o hel clecs.

Plant mewn teuluoedd

Gallai cymdeithasegwyr ofyn mathau gwahanol o gwestiynau am blant mewn teuluoedd, yn dibynnu ar ba baradeim maen nhw'n ei ddefnyddio. Er enghraifft, gallai rhywun sy'n defnyddio paradeim cymdeithasoli ofyn cwestiynau fel:

- Sut gaiff plant eu cymdeithasoli?
- Sut mae teuluoedd yn 'magu' plant?
- Pa anawsterau y mae rhieni'n dod ar eu traws wrth 'fagu' plant?
- Beth yw'r patrymau cymdeithasoli teuluol gwahanol?
- Sut mae cymdeithasoli teuluol yn rhyngweithio gyda'r ysgol a diwylliant cyfoedion?

Gallai rhywun sy'n gweithio mewn paradeim cymdeithaseg teuluol ofyn cwestiynau fel:

- Pam mae rhieni yn cael blant?
- Beth yw arwyddocâd newidiadau yng nghyfansoddiad y teulu?
- Beth yw patrymau gwahanol bywyd teuluol a beth yw'r gwahanol brofiadau a ddaw yn eu sgil?

Ar y llaw arall, i'r rhai sy'n dilyn paradeim y gymdeithaseg plentyndod newydd, gallai'r cwestiynau amlwg gynnwys:

- Beth yw ystyr 'teulu' i blant?
- Sut gaiff bywydau plant mewn teuluoedd eu trefnu?
- Beth yw'r berthynas rhwng bywydau plant yn eu teuluoedd a phlant mewn bydoedd cymdeithasol eraill?
- Beth yw'r berthynas rhwng sut gaiff plentyndodau eu trefnu mewn teuluoedd ac adeiladwaith cymdeithasol plentyndod?

Ni waeth pa ddull a ddefnyddir, bydd rhai nodweddion yn bwysig o unrhyw safbwynt, gan ddangos materion o gonsyrn cyffredin i bob cymdeithasegwr, sef:

1. Newidiadau ym mywyd y teulu.
2. Newidiadau yng nghyfansoddiad y teulu.
3. Lle'r plant mewn teuluoedd.
4. Plant sydd y tu allan i deuluoedd.

Plant mewn ysgol

Gadewch i ni edrych nawr ar y math o gwestiynau y gallai cymdeithasegwyr eu gofyn am blant yn yr ysgol. Mae'r paradeim cymdeithasoli yn llunio cwestiynau fel:

- Sut gaiff plant eu cymdeithasoli mewn ysgolion?
- Sut mae ysgolion yn hyrwyddo gwerthoedd a normau cymdeithasol mewn plant?
- Sut mae cymdeithasoliad yr ysgol yn rhyngweithio gyda chymdeithasoli teuluol?

Ar y llaw arall, gallai cymdeithaseg draddodiadol neu ddulliau polisi cymdeithasol arwain rhywun i ofyn:

- Beth yw natur yr ysgol fel sefydliad - sut mae'n gweithredu, lle saif y grym?
- Beth yw amcanion addysg a sut maen nhw'n cael eu cyflawni'n effeithiol?
- Beth yw effaith addysg ar anghydraddoldebau cymdeithasol (o ran dosbarth, rhywedd, ethnigrwydd)?

Yn y paradeim newydd, mae'r cwestiynau a ofynnir yn tueddu i fod:

- Beth yw ystyr 'ysgol' i blant?
- Sut gaiff bywydau dyddiol y plant mewn ysgolion eu trefnu?
- Sut gaiff profiad plant mewn ysgolion ei strwythuro o ran er enghraifft oedran, rhywedd, ethnigrwydd?
- Sut gaiff ystyr ei drafod (*meaning negotiated*) yn yr ystafell ddosbarth rhwng plant ac athrawon?
- Beth yw'r berthynas rhwng bywydau plant yn yr ystafell ddosbarth ac yn y maes chwarae?
- Sut mae ysgol yn cael effaith ar drawsnewidiadau mewn bywydau plant?
- Beth yw'r berthynas rhwng sut gaiff plentyndodau eu trafod mewn ysgolion ac adeiladwaith cymdeithasol plentyndod?

Plant a gwaith

Os ystyriwn y cwestiynau y gallai cymdeithasegwyr mewn paradeimau gwahanol eu gofyn am blant a gwaith, gwelwn ddarlun gwahanol. Yn y paradeim cymdeithasoli, ychydig iawn o sylw sydd wedi'i roi i'r pwnc hwn, er y gallai rhywun sy'n defnyddio'r paradeim hwn ofyn cwestiynau am rôl profiad gwaith wrth gymdeithasoli plant i ddiwylliant a gwerthoedd oedolion. Nid yw cwestiynau am blant a gwaith yn cael eu gofyn yn aml ychwaith mewn cymdeithaseg draddodiadol a dulliau polisi cymdeithasol. Fodd bynnag, mae cymdeithasegwyr sy'n gweithio yn y paradeim newydd wedi edrych ar yr agwedd hon ar fywydau plant yn llawnach, gan ofyn cwestiynau fel:

- Beth sy'n cyfrif fel gwaith plant?
- Beth yw ystyr 'gwaith' i blant?
- Beth yw profiad plant o waith?
- Beth yw barn plant am waith?
- Pam y mae plant yn gweithio?
- Beth yw'r manteision a'r colledion i blant o weithio?

Astudiodd Morrow (1994) waith a oedd yn cael ei wneud y tu allan i'r ysgol gan blant un ar ddeg i un ar bymtheg oed. Casglodd adroddiadau ysgrifenedig plant o'u bywydau bob dydd y tu allan i'r ysgol, a dilynwyd y rhain gyda chyfweliadau a thrafodaethau ystafell ddosbarth. Gwelai bod i'r gwaith a wnaed gan blant y tu allan i'r ysgol bedwar categori: llafur cyflog, gweithgareddau economaidd ymylol fel gwarchod plant, golchi ceir a mân dasgau, llafur teuluol annomestig (er enghraifft helpu ym musnes y teulu) a llafur domestig (sy'n cynnwys gwaith tŷ, cynnal a chadw ac atgyweirio yn y cartref, gweithgareddau gofalu). Roedd rhai plant hŷn yn dal swyddi gyda chyfrifoldeb yn cynnwys diogelwch, arian, anifeiliaid neu offer gwerthfawr. Cymerodd lawer o blant gyfrifoldeb am ofal eu brodyr a'u chwiorydd, a chymerodd rai ohonyn nhw gyfrifoldeb am ofal aelodau o'r teulu a oedd yn oedolion gydag anableddau. Gofalai llawer o blant hŷn am blant ifainc pobl eraill. Dywed Morrow:

> Mae'n ddiddorol bod plant 'analluog' fel y'u tybir, yn cael cyfrifoldeb am ofalu am blant iau a babanod. Felly, nid yw adeiladwaith cymdeithasol plentyndod a realiti gweithgareddau plant yn cyfateb i'w gilydd, gyda'r canlyniad bod plant sy'n cymryd cyfrifoldeb yn cael eu cuddio o'r golwg, ac yn cymryd lle diamwys, a heb ei gydnabod, rhwng oedolaeth a phlentyndod.

> *It is interesting that supposedly 'incompetent' children are given responsibility for looking after younger children and babies. Thus, the social construction of childhood and the reality of children's activities do not correspond, with the result that children who do assume responsibility are hidden from view, and occupy an ambiguous, and unacknowledged, place between adulthood and childhood.*

> (Morrow, 1994:137)

Daeth Morrow i'r casgliad bod angen ailwerthuso plentyndod mewn perthynas â syniadau o ddibyniaeth a chyfrifoldeb, yng ngoleuni tystiolaeth o'u profiad gwaith.

I gloi

Rydym wedi gweld, gobeithio, sut gall cymdeithaseg ein helpu i ddeall bywydau plant a lle plant mewn cymdeithas yn llawnach ac yn fwy crwn – yn enwedig os ydyw'n gymdeithaseg sy'n cymryd fel ei fan cychwyn bod plant yn bobl ac yn gyfranogwyr mewn bywyd cymdeithasol, ac nid megis 'oedolion y dyfodol'. Mae gan y mewnwelediadau sy'n cael eu datblygu gan gymdeithasegwyr lawer yn gyffredin gyda gwaith diweddar mewn seicoleg ac anthropoleg, ac i ryw raddau cafwyd cydgyfeiriad rhwng y disgyblaethau. Fodd bynnag, mae'r pwyslais cymdeithasegol amlwg ar strwythurau cymdeithasol a phrosesau cymdeithasol yn parhau i fod yn bwysig.

Cyflwynwyd yma rhai yn unig o'r syniadau y tu ôl i ymchwil cymdeithasegol cyfoes mewn plentyndod, gan edrych ar rai enghreifftiau o'r gwaith sy'n digwydd.

Rhai gwefannau defnyddiol

Centre for Europe's Children (http://eurochild.gla.ac.uk)
Childwatch (http://www.childwatch.uio.no/,
Child Rights Information Network (http://www.crin.org/)
UNICEF (http://www.unicef.org)

Materion i'w trafod

Cymerwch enghraifft o ymchwil i ddiwylliant cyfoedion a pherthnasoedd plant (er enghraifft 'Children's negotiation of meaning' gan Nancy Mandell (1991). Gofynnwch y cwestiynau canlynol:

- Pa agweddau ar fywydau plant y mae'r astudiaeth hon yn mynd i'r afael â nhw?
- Beth yw prif ddiben yr astudiaeth? (Beth mae'r awdur yn ceisio'i gyflawni?)
- Pa gysyniadau neu gategorïau a ddefnyddir ganddi?
- Sut gallwn ddatblygu'r dadansoddiad hwn ymhellach?

Darllenwch adroddiad o rywfaint o ymchwil i brofiad plant o deuluoedd (er enghraifft Understanding Families: Children's Perspectives gan Virginia Morrow (1998), neu Connecting Children: Care and Family Life gan Brannen et al: (2001). Gofynnwch y cwestiynau canlynol:

- Beth yw prif nodau'r ymchwil hwn?
- Pa gysyniadau neu syniadau y mae'r awdur(on) yn dechrau gyda nhw?
- Beth yw'r prif ddulliau a ddefnyddir yn yr ymchwil?
- Beth yw canfyddiadau pwysicaf yr ymchwil?
- Pa gwestiynau sydd wedi'u gadael heb eu hateb (neu heb eu gofyn)?

Pennod 4

Darpariaeth gofal ac addysg i blant ifainc yn Nghymru: Golwg ar yr hanes diweddar

Dechrau'n Deg a'r *Cyfnod Sylfaen* wedi'u cysylltu'n agos iawn. Maent yn darparu cynnig unigryw, wedi'i lunio yng Nghymru i'n plant ifancaf a'u teuluoedd. Ymhen amser, rwyf yn hyderus y bydd effaith y rhaglenni hyn yn trawsnewid tirlun dysgu yng Nghymru.

Gwelir integreiddio gofal plant, dysgu cynnar, rhianta a gwasanaethau iechyd yn y rhaglen hon fel un weledigaeth gyfannol a fydd yn hybu lles plant yng Nghymru. Er bod pryderon ynglŷn â'i gweithredu, mae *Dechrau'n Deg* wedi'i groesawu'n bennaf fel conglfaen o ran ymdrech LICC i ddileu tlodi plant.

Y dyfodol

Mae darpariaeth ar gyfer plant ifainc ar flaen y gad o ran yr agenda gwleidyddol yng Nghymru. Mae Llywodraeth Cynulliad Cymru wedi ymrwymo'n bendant i fuddsoddi'n sylweddol yn y maes hwn. Mae'r trafodaethau sy'n ymwneud â gwasanaethau ar gyfer plant ifainc yn adlewyrchu'r ffocws hwn ar les plant a bod y plentyn yn ganolog i'r drafodaeth. Disgwylir, er enghraifft, y bydd cynllunio ar gyfer dysgu yn broses mwy deinamig ac y gwneir defnydd ehangach o ddysgu dogfennol ac asesiadau naratif. Bydd athrawon yn datblygu'n arsylwyr mwy gweithredol a byddan nhw'n datblygu'n aseswyr naratif medrus, sy'n gwrando'n ofalus ar blant ifainc. Bydd ticio blychau yn raddol ddiflannu a bydd taflenni gwaith yn dod yn ddogfennau o ddiddordeb hanesyddol.

Gwefannau defnyddiol:

http://wales.gov.uk/topics/educationandskills/curriculum_and_assessment/arevisedcurriculumforwales/foundationphase/?lang=cy (Copïau Cymraeg o ddogfennaeth Y Cyfnod Sylfaen)
http://www.bwrdd-yr-iaith.org.uk/ (Bwrdd yr Iaith Gymraeg)
http://www.mym.co.uk/ (Mudiad Ysgolion Meithrin)
http://www.jrf.org.uk/ (Sefydliad Joseph Rowntree)
http://www.plantyngnghymru.org.uk/index.html (Plant yng Nghymru)

Materion i'w trafod ac ystyried ymhellach

- Gwlad ddwyieithog yw Cymru. Ystyriwch fanteision dwyieithrwydd cynnar a gwerth dwyieithrwydd yn gyffredinol.

- Beth yw'r dadleuon o blaid ac yn erbyn cadw ysgolion bychain ar agor? Ystyriwch faterion megis lles y plentyn, cyfleoedd cyfartal, cynnal iaith a diwylliant, cynaladwyaeth a thrafnidiaeth, a chynllunio cymdeithasol.

- Mae ymchwil yng Nghymru yn awgrymu bod plant sydd yn byw mewn tlodi yn fwy tebygol o fod yn ordew. Ystyriwch y rhesymau dros hyn a goblygiadau tlodi ar fywydau plant.

Pennod 5

Cyfleoedd Cyfartal ac Ymarfer Gwrthwahaniaethol mewn darpariaeth Blynyddoedd Cynnar

Pennod 5

Cyfleoedd Cyfartal ac Ymarfer Gwrthwahaniaethol mewn darpariaeth Blynyddoedd Cynnar

Clare Grist

Cyflwyniad

Cynsail y bennod hon yw mai dim ond yng nghyd-destun cyfle cyfartal y gellir darparu gofal ac addysg o ansawdd uchel i blant ifainc. Mae cyfrifoldeb proffesiynol a phersonol ar ddarparwyr blynyddoedd cynnar i sicrhau nad yw eu hymarfer yn gwahaniaethu yn erbyn unrhyw un o'r plant yn eu gofal a'u bod yn creu amgylchedd lle mae ystyried a hwyluso cyfle cyfartal yn rhan hanfodol o'u polisïau a'u hymarfer o ddydd i ddydd.

Nod y bennod hon yw cefnogi'r darllenydd wrth ddechrau archwilio cymhlethdodau cyfleoedd cyfartal ac ymarfer gwrthwahaniaethol. Mae'n cynnwys cyflwyniad i gyd-destun cyfreithiol a pholisi cyfleoedd cyfartal yng Nghymru gan ganolbwyntio ar iaith, hil, rhyw ac anabledd, ac mae'n archwilio rhai o'r cysyniadau sylfaenol allweddol. Edrychir hefyd ar agweddau strwythurol a phersonol cyfleoedd cyfartal sydd yn sylfaen i ymarfer da wrth weithio gyda phlant ifainc. Fodd bynnag, wrth ddilyn y trywydd cyfreithiol, nid yw'n fwriad i ymdrin â rhai meysydd sydd yr un mor bwysig megis dosbarth, gogwydd rhywiol, iechyd meddwl a gwahaniaethu yn erbyn teithwyr a chwilwyr lloches.

Pwysleisir pwysigrwydd cyfleoedd cyfartal gan lawer un sydd yn ysgrifennu ym maes darpariaeth plentyndod cynnar (Brown 1998; Pugh 2001; Siraj-Blatchford 2001; Malik 2003; Willan et al 2004). I Malik (2003), mae cyfleoedd cyfartal yn bwysig wrth geisio delio â'r anghyfiawnderau mae plant a'u teuluoedd yn eu profi. Yn ei barn hi, heb gyfle cyfartal, nid yw'n bosibl darparu gwasanaethau plentyndod cynnar o ansawdd. Mae cydraddoldeb, meddai, yn hawl sylfaenol i blant ifainc.

> Nid braint yw cydraddoldeb ond hawl – dylai plant gyrraedd eu potensial llawn heb rwystrau sydd yn gwahaniaethu a sydd yn arwain at anfantais ac sy'n eu hatal rhag eu hawliau cyfreithiol.

> *Equality is a right, not a privilege – children should achieve their full potential without discriminating barriers, which lead to disadvantage and which deny them their legitimate and legal rights*

> (Malik, 2003: 4)

Yn y dyfyniad canlynol gwelir pwysigrwydd ehangach cyfleoedd cyfartal tu hwnt i bersbectif yr unigolyn.

> Mae cyfartaledd cyfle yn fater o bwysigrwydd cymdeithasol ac economaidd allweddol i gymdeithas gyfan...Os yw unrhyw unigolyn yn cael ei rwystro rhag cyflawni ei botensial llawn oherwydd ei statws o ran hil, ethnigrwydd, dosbarth, neu rywedd, y farn, erbyn hyn, yw bod y gymuned gyfan yn talu pris cymdeithasol ac economaidd gan nad yw'n cael budd menter, egni a dychymyg y person hwnnw.

> *Equality of opportunity is a vital issue of social and economic importance to the whole of society.… If any individual is denied the opportunity to fulfil their potential because of their racial, ethnic, class or gendered status it is now widely understood that society as a whole bears a social and economic cost by being deprived the fruits of their enterprise, energy and imagination*
> (Gillborn a Safia Mirza, 2000: 6)

Cyfleoedd cyfartal ac ymarfer gwrthwahaniaethol

Roedd Awdurdod Cymwysterau, Cwricwlwm ac Asesu Cymru (ACCAC 2001) yn defnyddio'r term cyfleoedd cyfartal 'i gynnwys gwerthfawrogi amrywiaeth a hybu cyfle cyfartal i bawb' ac mae'n nodi bod 'pobl yn wahanol i'w gilydd ac nid yw cyfleoedd cyfartal yn golygu trin pawb yr un fath yn unig'. Yn ôl Gelder, Willan et al (2004) mae diffiniad cyfleoedd cyfartal yn dibynnu ar sut rydym yn canfod plant a'u rôl mewn cymdeithas a pha mor gyfyng mae cyfleoedd cyfartal yn cael eu diffinio. Gall diffiniadau amrywio o'r ddyletswydd i baratoi plant ar gyfer cystadlu, yn y dyfodol, yn y sustem addysg ac yn y farchnad gwaith hyd at yr hyn mae Willan yn ei alw'n gwared yr anfanteision bydd rhai grwpiau o blant yn eu profi (*eliminating the disadvantages experienced by certain groups of children*) neu, ymhellach, ffocws ar amgylchedd sydd yn rhydd o wahaniaethau ac sydd i'w fwynhau gan blant nawr (*focus on the provision of an environment free from discrimination, to be enjoyed by children here and now*). Â Willan ymlaen i gyffelybu cysyniad cyfle cyfartal i darten afalau a bod yn fam - rhywbeth sydd yn apelio aton ni gyd yn nhermau cyfiawnder naturiol ond nid yw'n gysyniad hawdd i weithio ag ef gan ei fod yn gofyn am lawer o feddwl caled ar ran yr ymarferwyr.

Er mwyn darparu'r cyfle cyfartal sydd yn hawl sylfaenol pob plentyn, mae angen i weithwyr blynyddoedd cynnar ddelio'n weithredol â chyfleoedd cyfartal. Bydd hyn yn cynnwys datblygu'u hymarfer gwrthwahaniaethol eu hunain ar sail cydnabod ac archwilio rhagfarn a gwahaniaethu. Wrth archwilio cyfrifoldeb moesol, proffesiynol a chyfreithiol, rhaid i'r rheini sydd yn gweithio gyda phlant ifainc ddelio â materion tegwch a chydraddoldeb. Mae Smidt (2002) yn pwysleisio'r anawsterau i ymarferwyr blynyddoedd cynnar wrth adfyfyrio ar agweddau personol.

Rydyn ni i gyd yn hoffi credu ein bod yn bobl heb ragfarn, ond, weithiau, mae wynebu ein teimladau dyfnaf yn dangos pethau annisgwyl a niweidiol.

'We all like to believe that we are without prejudice, yet confronting our innermost feelings sometimes reveals surprising and damaging things.

(Smidt, 2002: 122)

Iaith a therminoleg

Un agwedd ddadleuol ar ymarfer gwrthwahaniaethol yw'r defnydd o iaith a therminoleg. Weithiau rydym yn ofni defnyddio'r derminoleg anghywir a bydd hyn yn arwain at atal trafodaeth ar wahaniaethu a gormes. Mae modd hefyd gweld y canolbwyntio ar eiriau a therminoleg fel wyneb annerbyniol cywirdeb gwleidyddol (*political correctness*) ond mae iaith yn bwysig, ac yn arbennig felly wrth weithio gyda phlant ifainc. Mae Malik (2003) yn gweld iaith fel offeryn pwerus sydd, o'i defnyddio'n gadarnhaol, yn gallu cyfleu parch, gwerth, hunan-werth a hunan-fri a herio, ond o'i defnyddio'n negyddol yn gallu

dibrisio a bychanu, dangos rhagfarn a dirmyg ac yn medru cynnal gwahaniaethu.

devalue and belittle, demonstrate prejudice, be contemptuous and can perpetuate discrimination

(Malik, 2003:71)

Pwysleisia Thompson (2001) yr hyn mae'n ei alw'n gymhlethdodau grym iaith (*the complexities of the power of language*) a'i rôl yn y broses o gynnal patrymau gwahaniaethu gan weld ymwybyddiaeth ieithyddol fel rhan sylfaenol o ymarfer gwrthwahaniaethol.

Nid mater o wahaniaethu rhwng geiriau 'tabw' a geiriau 'OK' yn unig yw hyn, yn debyg i syniadau yn ymwneud â 'chywirdeb glweidyddol'. Yr hyn sydd ei angen yw nid rhestr syml o eiriau sydd yn cael eu gwahardd ond, yn hytrach, ymwybyddiaeth o botensial gormesol a gwahaniaethol iaith a sensitifrwydd i hynny.

It is not simply a matter of distinguishing between 'taboo' words and 'OK' words, as in the sense of 'political correctness'. What is needed is not a simple list of proscribed words but, rather, an awareness of, and sensitivity to, the oppressive and discriminatory potential of language

(Thompson, 2001:31)

Mae ymarfer gwrthwahaniaethol yn golygu datblygu ymwybyddiaeth o iaith a dealltwriaeth o'r geiriau a'r derminoleg mae unigolion a grwpiau cynrychioliadol yn dymuno cael eu cysylltu â nhw. Rhaid cofio hefyd bod terminoleg yn newid dros amser ac y bydd barn amrywiol gan bobl amrywiol am y derminoleg a gysylltir â nhw. Bydd angen rhoi ystyriaeth ofalus i'r iaith a ddefnyddir wrth siarad â phlant ifainc er mwyn gofalu rhag defnyddio iaith hiliol, rywiaethol, anableddol a mathau eraill o iaith wahaniaethol sydd yn parhau stereoteipiau negyddol. Gall trafod iaith a therminoleg fod yn fan cychwyn defnyddiol ar gyfer archwilio'n rhagfarnau, meddwl ystrydebol ac agweddau ac ymddygiad gwahaniaethol ni ein hunain.

Rhagfarn, gwahaniaethu a stereoteipiau

Ystyr rhagfarn yw barnu person neu grŵp cymdeithasol ymlaen llaw, gan lunio barn ar sail ychydig neu ddim tystiolaeth, neu farn sydd, yn ôl Thompson, yn 'cael ei chynnal yn anhyblyg ac yn afresymol er bod tystiolaeth gadarn i'r gwrthwyneb (*rigidly and irrationally maintained even in the face of strong contradictory evidence*') (Thompson 2001:35). Dysgir rhagfarn drwy'r broses o gymdeithasoli, a bydd diwylliant cymdeithasol yn dylanwadu'n helaeth ar ragfarn unigol (Malik 2003) ac felly gall unrhyw un fod yn rhagfarnllyd. Mae Lane (1999) yn cysylltu rhagfarn ag anghydraddoldeb, rhan o system cymdeithas. Yn aml seilir rhagfarn ar feddwl ystrydebol. Ffordd o labelu pobl yw stereoteipio trwy wneud rhagdybiaethau a allai fod yn gadarnhaol, yn negyddol neu'n niwtral ond a seilir fel arfer ar gamsyniadau sydd yn anghywir. Caiff stereoteipiau negyddol o grwpiau o bobl mewn cymdeithas ddylanwad ar blant ac ar eu hagweddau. Bydd angen i weithwyr blynyddoedd cynnar edrych yn fanwl ar eu syniadau ystrydebol eu hunain yn gyntaf cyn eu bod yn medru herio stereoteipiau negyddol a, yn lle'r delweddau negyddol hyn, darparu delweddau cadarnhaol.

Gall stereoteipiau gael eu cynnal a'u parhau gan yr adnoddau a ddefnyddir i gefnogi chwarae a dysgu plant (Brown 1998, Malik 2003). Weithiau, bydd adnoddau megis llyfrau, teganau, arddangosfeydd a dillad gwisgo i fyny yn adlewyrchu hiliau, rhywiau, diwylliannau a chrefyddau gwahanol ac amrywiaeth ieithyddol. At hyn, dylen nhw ddarparu delweddau cadarnhaol o anabledd ac offer arbennig a ddefnyddir gan blant (Malik 2003:73). Wrth ysgrifennu am gydraddoldeb rhwng y rhywiau mae Hilgarter, Schlank a Metzger (1997) yn cymeradwyo dewis llyfrau sydd yn rhydd o rolau seiliedig ar ryw a stereoteipiau anhyblyg, rhai sydd yn cynnwys ystod ehangach o yrfaoedd posibl, o ymddygiad ac o weithgareddau ac sydd yn hybu cyfeillgarwch rhwng bechgyn a merched.

Lefelau gwahaniaethu

Bydd adfyfyrio ar ein syniadau, agweddau ac ymddygiad ein hunain a'u dadansoddi yn ein helpu i ddechrau delio ag agweddau personol cyfleoedd cyfartal ac ymarfer gwrthwahaniaethol. Hefyd bydd angen i weithwyr blynyddoedd cynnar edrych yn fanwl ar y lefelau eraill y mae gwahaniaethu yn gweithio arnyn nhw o fewn ein cymdeithas. Mae'n angenrheidiol, er enghraifft, i bobl sydd yn gweithio gyda phlant ifainc i ddeall y ffactorau sydd yn cynnal grym tu hwnt i'r unigolyn (*the factors of power and control that operate beyond that of the individual')* (Smidt 2003). Dyma'r math o ffactorau sydd yn bodoli a'r lefelau strwythurol a sefydliadol o wahaniaethu sydd yn gynhenid yn ein cymdeithas. Mae edrych ar ein hagweddau a'n rhagfarnau'n hunain yn hanfodol ond nid yn ddigonol (Brown 1998).

Datblygodd Thompson (2001) ddadansoddiad PCS (Personol, Diwylliannol a Strwythurol – *Personal, Cultural and Structural*) i amlygu'r lefelau gwahanol lle mae gwahaniaethu'n gweithredu a sut mae'r lefelau hyn yn cadarnhau'i gilydd. Mae Thompson yn dadlau bod rhaid symud o lefel y personol er mwyn deall a mynd i'r afael â gwahaniaethu, ac nad canlyniad rhagfarn bersonol yn syml yw rhywiaeth, hiliaeth, oedraniaeth ac anableddiaeth ond eu bod wedi'u cysylltu ag anghydraddoldebau strwythurol a gormes sefydliadol.

I Lane (1999) gall gwahaniaethu sefydliadol yn y blynyddoedd cynnar ddigwydd pan fydd

> ...arferion a gweithdrefnau sydd wedi eu hen sefydlu, a fedr fod yn swyddogol neu'n answyddogol, yn cael eu huno ag agweddau difeddwl (yn aml yn anymwybodol), rhagfarn a stereoteipio a rhagdybiaethau diwylliannol i greu gwahaniaethu.

> ...*long-established practices and procedures, which may be official or unofficial, combine with thoughtless, (often unconscious) prejudice and stereotyping and cultural assumptions to produce discrimination.*
>
> (Lane, 1999:8)

Mae'n crybwyll y defnydd o restrau aros ar gyfer darpariaeth blynyddoedd cynnar fel enghraifft o wahaniaethu sefydliadol lle byddai plant o deuluoedd nad oedden nhw yn gyfarwydd â'r dref (efallai oherwydd cyrraedd gwledydd Prydain yn ddiweddar, rhwystrau ieithyddol neu eu bod yn symud o un man i'r llall yn aml) yn is ar y rhestr ac yn llai tebygol o gael lle. Hyd yn oed os nad eu heithrio'n benodol oedd bwriad y rhestr aros, dyma effaith bosibl y rhestr aros. Bydd gwahaniaethu strwythurol yn digwydd, meddai Lane, o ganlyniad i'r ffordd caiff cymdeithas ei strwythuro a sut caiff grym ei leoli a'i gynnal (Lane 1999: 8). Mae Lane yn cynnig enghraifft o'r nifer anghyfartal o famau Affro-Garibïaidd sydd yn gorfod gweithio oriau hir anghymdeithasol oherwydd gwahaniaethu yn eu herbyn a'u hanfantais yn nhermau tai, addysg a chyflogaeth. Yn sgîl hyn maen nhw'n llai tebygol o allu defnyddio gofal plant rhad ac am ddim, ond sydd ar agor ond ddim am ychydig oriau'r dydd yn unig, megis dosbarthiadau meithrin.

Sail cyfraith a pholisi

Mae deddfwriaeth a pholisïau'n bod er mwyn cefnogi cyfle cyfartal ac mae'n angenrheidiol i weithwyr blynyddoedd cynnar ddeall a chydymffurfio â'r fframwaith cyfreithiol maen nhw'n gweithredu o'i fewn. Noda Smidt (2002) nad mater syml o ddewis nac ychwaith o ymarfer da yw cydymffurfio â deddfwriaeth cyfleoedd cyfartal.

nid yw ystyried cyfleoedd ar gyfer pob plentyn yn rhywbeth gellid dewis ei wneud er mwyn bod yn...wleidyddol gywir. Mae gorfodaeth cyfreithiol arnoch chi o dan sawl deddfwriaeth.

considering the opportunities for all children is not something you can just choose to do in order to be...politically correct. You have a legal obligation under several acts of law.

(Smidt 2002:112)

Yng Nghymru mae pedwar prif faes sydd yn sail i fframwaith cyfreithiol cyfleoedd cyfartal - iaith, hil, rhyw, ac anabledd. Mae'r Deddfau Plant a Chonfensiwn y Cenhedloedd Unedig yn darparu cyd-destun pwysig ar gyfer cyfle cyfartal.

Deddf Plant 1989 gyflwynodd yr angen am dalu sylw i grefydd, hil, a chefndir diwylliannol a ieithyddol plant wrth ystyried cofrestru darparwyr gofal dydd a gwarchodwyr plant (http://www.childcom.org.uk). Cymru oedd y cyntaf o wledydd Prydain i gael Comisiynydd Plant (sefydlwyd hyn trwy **Ddeddf Safonau Gofal 2000 a Deddf Comisiynydd Plant Cymru 2001**), ac amddiffyn a hyrwyddo hawliau a lles plant yng Nghymru yw ei rôl er mwyn sicrhau bod plant:

- yn cael y cyfleoedd a'r gwasanaethau sydd eu hangen arnyn nhw ac y maen nhw'n eu haeddu;

- yn cael eu parchu a'u gwerthfawrogi;

- yn gwybod am eu hawliau a Chonfensiwn y Cenhedloedd Unedig ar Hawliau'r Plentyn.

Mae Confensiwn y Cenhedloedd Unedig ar Hawliau'r Plentyn, trwy'i fwriad i sicrhau cefnogi hawliau byd-eang plant, yn cynnal cyfleoedd cyfartal i blant ar draws y byd. Mabwysiadwyd y Confensiwn yn ffurfiol gan Lywodraeth Cynulliad Cymru ar 14[eg] Ionawr 2004. Dywed Erthygl 20 (sydd yn ymwneud â'r ddarpariaeth i blant nad yw eu teuluoedd eu hunain yn medru gofalu amdanyn nhw) bod rhaid parchu crefydd, diwylliant a iaith y plant y mae'r awdurdodau yn gofalu amdanyn nhw. Ac mae Erthygl 23 yn tynnu sylw at hawliau plant ag anableddau i fyw ac i gyfrannu yn eu cymunedau.

Nod un o'r meysydd dysgu cydnabyddedig yn fframwaith drafft Y Wlad sydd yn Dygu: Y Cyfnod Sylfaen 3 – 7 oed yw 'cefnogi hunaniaeth ddiwylliannol pob plentyn, dathlu diwylliannau gwahanol a chynorthwyo plant i adnabod a meithrin ymwybyddiaeth gadarnhaol o'u diwylliant nhw a diwylliant pobl eraill' trwy ddatblygu 'dealltwriaeth amlddiwylliannol' ar draws pob maes dysgu a 'galluogi plant i ddefnyddio a chyfathrebu yn Gymraeg hyd orau eu gallu (ACCAC, 2004: 13).

Deddfwriaeth Iaith Gymraeg

Y ddeddf Seneddol allweddol sydd yn ymwneud â'r Gymraeg yw **Deddf yr Iaith Gymraeg 1993**. Nod Deddf yr Iaith Gymraeg 1993 yw hyrwyddo a hwyluso'r iaith yng Nghymru ar sail cyfartaledd â'r Saesneg. Y ddeddf hon a sefydlodd Fwrdd yr Iaith Gymraeg a'i brif amcan sef hyrwyddo a hwyluso defnydd o'r iaith Gymraeg. Mae'n ofynnol i gyrff cyhoeddus a'r sawl a ymrwymir i ddarparu gwasanaethau a gyllidir trwy arian cyhoeddus, gyhoeddi Cynllun Iaith Gymraeg, er bod sefydliadau a chyrff gwirfoddol a phreifat yn cael eu hannog i wneud hyn hefyd fel mater o ymarfer da.

Dogfen bolisi allweddol a ddaeth o Lywodraeth Cynulliad Cymru yw Iaith Pawb: Cynllun Gweithredu Cenedlaethol ar gyfer Cymru Ddwyieithog. Mae'n gosod gweledigaeth o Gymru 'gwbl ddwyieithog...lle y gall pobl ddewis byw eu bywydau naill ai drwy gyfrwng y Gymraeg neu'r Saesneg neu'r ddwy iaith a lle mae bodolaeth y ddwy iaith yn fater o falchder a chryfder i ni i gyd.'(Llywodraeth Cynulliad Cymru, 2003: 1)

Mae modd gweld deddfwriaeth a pholisi presennol fel ymateb i'r gormes hanesyddol o'r iaith Gymraeg a statws isel yr iaith yng Nghymru yn sgil hynny a hefyd consyrn ynghylch y lleihad yn nifer y siaradwyr Cymraeg. Dengys cyfrifiad 2001 gynnydd yn y nifer o siaradwyr Cymraeg o'i gymharu â'r degawd blaenorol. Yn y grwpiau oedran ifancach y gwelir canrannau uchaf siaradwyr Cymraeg a'r canolfannau poblogaeth dinesig sydd yn dangos y cynnydd mwyaf yn niferoedd siaradwyr Cymraeg ifainc (Aitchison a Carter 2004). Gellir priodoli'r ffigurau hyn yn uniongyrchol i dwf addysg cyfrwng Cymraeg a dwyieithog. Mae'r prif dargedau a welir yn *Iaith Pawb* yn anelu at gynyddu'r ffigurau hyn ymhellach trwy gynyddu'r canran o blant sydd yn derbyn addysg gyn-ysgol cyfrwng Cymraeg. Gwelir 'lles tymor-hir yr iaith yn dibynnu ar alluogi cynifer o blant cyn oed ysgol a phobl ifanc ag y bo modd i gael gafael ar yr iaith a hynny mor gynnar ag y bo modd.' Yn *Iaith Pawb* hefyd gwelir pwyslais 'ar hawl yr unigolyn i ddefnyddio'r iaith o'u dewis a chyfrifoldeb sefydliadau o fewn cymdeithas Cymru i gydnabod a hyrwyddo hawl yr unigolyn i wneud hyn' (Llywodraeth Cynulliad Cymru 2003:37).

Nod fframwaith drafft Y Cyfnod Sylfaen 3- 7 oed yng Nghymru yw galluogi plant 'i ddefnyddio a chyfathrebu yn Gymraeg hyd orau eu gallu' ac mae'n cwmpasu ysgolion penodedig Cymraeg, ysgolion dwyieithog ac ysgolion cyfrwng Saesneg. Prosiect a gynlluniwyd i gyflawni'r nod hwn a gweithredu'r polisi trwy gynnig cyfle i weithwyr blynyddoedd cynnar ennill sgiliau sylfaenol yn yr Iaith Gymraeg, ac i ddysgu 'sut i'w defnyddio'n greadigol wrth chwarae gyda phlant bach' yw Geiriau Bach (http://www.drindod.ac.uk/geiriaubach). Mae'r prosiect hwn a pholisi cynhaliol y Llywodraeth yn pwysleisio hybu'r iaith Gymraeg a dwyieithrwydd fel ymarfer da mewn darpariaeth blynyddoedd cynnar. Mae'n adlewyrchu'r ffaith bod agweddau tuag at ddwyieithrwydd wedi newid yn ddirfawr dros y tri degawd diwethaf. Wrth ystyried dwyieithrwydd, blynyddoedd yn ôl y gred oedd bod dwyieithrwydd yn anfantais i blant. Gelwid hon yn fodel o ddifyg (*deficit model*). Ond erbyn hyn, gyda gwella mewn dulliau ymchwil a gwybodaeth mwy cywir, credir yn y model budd *(benefit model)* sef bod dwyieithrwydd yn fanteisiol (Bialystok 2001, Baker 2000).

Crynhoir ymchwil i fanteision dwyieithrwydd i blant ifainc gan Fwrdd yr Iaith Gymraeg mewn cysylltiad â phrosiect **Twf** – prosiect sydd yn amcanu at rannu gwybodaeth â rhieni a rhieni'r dyfodol am fanteision magu plant yn ddwyieithog. Ymhlith y rhain gwelir manteision gwybyddol, addysgol, economaidd, cymdeithasol a diwylliannol ynghyd â thystiolaeth oddi wrth ymchwil Ewropeaidd ac o lefydd eraill yn y byd fod plant dwyieithog yn tueddu i'w chael hi'n haws dysgu ieithoedd eraill.

Deddfwriaeth Cysylltiadau Hiliol

Y deddfau Seneddol allweddol yw: **Deddf Cysylltiadau Hiliol 1976**, **Deddf Cysylltiadau Hiliol (Diwygio) 2000, Rheoliadau Deddf Cysylltiadau Hiliol 1976 (Diwygio) 2003**. Yn ôl Deddf Cysylltiadau Hiliol 1976 mae'n anghyfreithlon gwahaniaethu yn erbyn rhywun ar sail hil, lliw, cenedligrwydd (gan gynnwys dinasyddiaeth), neu darddiad ethnig neu genedlaethol. Amddiffynnir pob grŵp hiliol rhag gwahaniaethu. Dyfarnodd penderfyniad cyfreithiol ym 1988 fod Sipsiwn yn grŵp hiliol oddi fewn i ffiniau Deddf Cysylltiadau Hiliol 1976.

Ymwneud â gweithredoedd pobl ac effeithiau'u gweithredoedd mae Deddf Cysylltiadau Hiliol yn hytrach na'u barn a'u cred. Mae ffurfiau uniongyrchol ac anuniogyrchol o wahaniaethu yn cael eu cynnwys yn y ddeddfwriaeth ac ystyrir erledigaeth, aflonyddu a harasio hefyd fel mathau o wahaniaethu hiliol.

Ceir gwahaniaethu uniongyrchol pan fydd rhywun yn cael ei drin yn llai ffafriol ar sail hiliol nag y mae neu nag y byddai eraill yn cael eu trin yn yr un amgylchiadau neu rai tebyg. Mae cam-drin ac aflonyddu hiliol yn ffurfiau ar wahaniaethu uniongyrchol. Gall gwahaniaethu uniongyrchol gymryd llawer o ffurfiau.

> Wrth ymdrin â disgyblion...er enghraifft, gall wahaniaethu o sylw hiliol anaeddfed a di-chwaeth i wahaniaethau cynnil mewn asesu, disgwyliadau, darpariaeth ac ymdriniaeth. Gall fod yn ddiymwybod neu'n llawn bwriadau da, ond, serch hynny, mae'n anghyfreithlon.
>
> *In the treatment of pupils.., for example, it may vary from crude racist remarks to subtle differences in assessment, expectation, provision and treatment. It may be unconscious or well-intentioned, but is nonetheless unlawful*
>
> (http://www.cre.gov.uk – 2007)

Cysyniad mwy cymhleth yw gwahaniaethu anuniongyrchol, ac yn ôl yr amgylchiadau a gwmpasir gan Ddeddf Cysylltiadau Hiliol, bydd yn digwydd pan fydd gofyniad neu gyflwr, er yn cael ei weithredu yr un i bob grŵp hil, sydd yn golygu mai ond un canran bychan o grŵp hil penodol sydd yn medru cydymffurffio ag ef, ac nid oes modd ei gyfiawnhau ond ar sail hil.

a requirement or condition which, although applied equally to all racial groups, is such that a considerably smaller proportion of a particular racial group can comply with it, and it cannot be shown to be justifiable on other than racial grounds.

(http://www.cre.gov.uk – 2007)

Mae Deddf Cysylltiadau Hiliol yn cwmpasu pob ysgol a gynhelir gan awdurdodau addysg lleol, ysgolion annibynnol, ysgolion arbennig a darparwyr blynyddoedd cynnar yng Nghymru. Mae'r Ddeddf yn ei gwneud hi'n anghyfreithlon gwahaniaethu o ran derbyn, triniaeth, eithrio yn ogystal â phenderfyniadau gan awdurdodau lleol megis penderfyniadau am anghenion addysgol arbennig. Yn ôl y ddyletswydd statudol gyffredinol a gynhwysir yn y Ddeddf Cysylltiadau Hiliol, mae'n ofynnol i sefydliadau addysgol gymryd camau gweithredol i fynd i'r afael â gwahaniaethu hiliol, ac i hyrwyddo cyfle cyfartal a chysylltiadau hiliol da.

Cysyniadau hil, hiliaeth ac ethnigrwydd

Cysyniad dadleuol yw'r cysyniad o hil, a daw yn sgîl ymdrechion hanesyddol i ddosbarthu pobl yn ôl lliw eu croen a nodweddion corfforol, ac yn aml fe'i ysgrifennir mewn dyfynodau er mwyn dynodi hyn. Nid oes unrhyw sail wyddonol gydnabyddedig ar gyfer rhannu pobl i grwpiau biolegol, felly yn aml gwelir hil fel term a luniwyd yn gymdeithasol. Dadleua Dominelli (1988) bod:

...canolbwyntio ar agweddau biolegol hiliaeth yn creu dirgelwch o natur cymdeithasol y perthnasau sydd wedi eu gwreiddio'n ddwfn mewn arferion hiliol ac mae'n hwyluso beio a chreu gormes uniongyrchol o'r rhai hynny sydd â nodweddion hil ac ethnigrwydd gweladwy amlwg.

...concentrating on the biological aspects of racism mystifies the social nature of the relationships embedded in racist practices and facilitates the scapegoating and instant oppression of those having easily visible racial and ethnic characteristics

(Dominelli ,1998: 8)

Mae nofel Levy 'Small Island' yn darlunio yn huawdl y cysyniad o ragoriaeth y gwynion ac effaith hyn ar y rheini sydd yn profi hiliaeth. Nofel yw hi sydd yn portreadu profiadau mewnfudwyr o Jamaica i Brydain ar ôl yr Ail Ryfel Byd. Yma mae Gilbert, cymeriad canolog yn y nofel, yn adweithio i ddirmyg ei landlord gwyn:

'Ti'n gwbod be di dy broblem di?' meddai. 'Dy groen gwyn. Ti'n meddwl 'i fod e'n neud ti'n well na fi. Ti'n meddwl 'i fod e'n rhoi'r hawl i ti lordio hi dros y dyn du. Ond ti'n gw'bod be mae'n neud ti? Ti moyn gw'bod be mae dy groen gwyn yn neud ti? Mae'n neud ti'n wyn. Dyna'i gyd. Gwyn. Dim gwell, dim gwaeth na fi – jest gwyn.'

'You know what your trouble is, man?' he said. 'Your white skin. You think it makes you better than me. You think it give you the right to lord it over a black man. But you know what it make you? You wan' know what your white skin make you, man? It make you white. That is all, man. White. No better, no worse than me – just white'.

(Levy, 2004: 525)

Ceir llawer o ddiffiniadau amrywiol o hiliaeth (er na ddefnyddir nac ychwaith ddiffinnir y term yn y ddeddfwriaeth) ac nid yw pawb yn cytuno ar unrhyw un term.

Mae hiliaeth yn derm sydd yn cael ei ddefnyddio'n eang i gyfeirio at ideoleg o uwchraddoldeb un hil penodol dros un arall. Caiff y syniad yma o uwchraddoldeb wedyn ei gymhwyso a'i wreiddio mewn strwythurau, ymarferion, agweddau, credoau a phrosesau o grwpiau cymdeithasol sydd wedyn yn cael eu defnyddio i ymestyn a throsglwyddo'r ideoleg hon. Mae hiliaeth yn ymddangos mewn nifer o ffurfiau sydd yn aml yn cyd-redeg, e.e. personol, diwylliannol, sefydliadol a chymdeithasegol.

Racism is a term which is broadly used to refer to the ideology of superiority of a particular race over another. This notion of superiority is then applied to and embedded in structures, practices, attitudes, beliefs and processes of a social grouping which then serves to further perpetuate and transmit this ideology. Racism appears in several, often interrelated forms e.g. personal, cultural, institutional and societal.

(http://www.antiracisttoolkit.org.uk/html/030101.htm)

Fodd bynnag cytunir i raddau am effeithiau niweidiol hiliaeth. Mae hiliaeth yn llurgunio perthynas pobl a'i gilydd (Dominelli 1998) ac yn niweidio pob plentyn du a gwyn, er ei fod yn gwneud hynny mewn ffyrdd gwahanol (Lane 1999). Yn adroddiad yr ymchwiliad cyhoeddus i lofruddiaeth hiliol Stephen Lawrence (Adroddiad MacPherson) gwelir addysg fel rhywbeth sydd yn sylfaenol wrth fynd i'r afael ag agweddau hiliol eithafol.

Nid oes modd i ni bennu sut mae cymdeithas yn gwared y fath agweddau, ond pwysleisir yr angen am addysg ac esiampl yn yr oedran cynharaf, ac agwedd gyffredinol o 'dim goddef' hiliaeth yn ein cymdeithas.

How society rids itself of such attitudes is not something which we can prescribe, except to stress the need for education and example at the youngest age, and an overall attitude of 'zero tolerance' of racism within our society.

(The Stephen Lawrence Inquiry 1999: 7.42)

Defnyddir y term lleiafrif ethnig i ddisgrifio pobl sydd yn perthyn i grŵp ethnig sydd yn y lleiafrif ac mae'n cwmpasu pobl â chroen o bob lliw (Lane 1999). Mae'r Comisiwn Cydraddoldeb Hiliol yn pwysleisio na fydd byth yn defnyddio'r term 'ethnig' i olygu lleiafrif ethnig gan bod aelodau o'r grŵp mwyafrif hwythau â'u hethnigrwydd cymaint â neb arall (*members of the majority group have ethnicity as much, or as little, as anyone else*) http://www.cre.gov.uk.

Disgrifia Madge (2001) ethnigrwydd fel

rhywbeth sydd yn eiddo i bob un ohonom ni 'a chysyniad cymhleth sydd yn ymgorffori agweddau o liw croen, gwlad ein geni, cenedligrwydd, diwylliant, iaith, credo, arferion, ac sydd yn adlewyrchu syniad o hunaniaeth bersonol'.

something that we all have and as a 'complex concept that embodies aspects of skin colour, country of origin, nationality, culture, language, religion, customs and mores, and reflects a sense of personal identity.'

(Madge, 2001: 19)

Felly, mae cysyniadau megis bwyd, gwisg neu lyfrau ethnig yn ddiystyr os yw ethnigrwydd yn nodwedd sydd yn berthnasol i bawb (Lane 1999).

Deddfwriaeth gwahaniaethu ar sail rhyw

Y deddfau Seneddol allweddol yw **Deddfau Gwahaniaethu ar sail Rhyw 1975 a 1976, Deddf Cyflog Cyfartal 1975**. Mae'r Ddeddf Gwahaniaethu ar sail Rhyw yn cwmpasu menywod a dynion o bob oed, gan gynnwys plant, ac mae'n ei gwneud hi'n anghyfreithlon i wahaniaethu yn erbyn unigolion ar sail rhyw ym meysydd cyflogaeth, addysg a darparu nwyddau, cyfleusterau a gwasanaethau ac wrth ddefnyddio neu reoli adeiladau. Mae'r Ddeddf hefyd yn gwahardd gwahaniaethu mewn cyflogaeth yn erbyn pobl briod. Ers i Ddeddf Partneriaethau Sifil 2004 ddod i rym ar 5ed Rhagfyr 2005, rhoddir yr un amddiffyniad i'r rheini mewn partneriaeth sifil â'r rheini sydd yn briod. Mae Deddf Gwahaniaethu ar sail Rhyw yn cwmpasu menywod a dynion o bob oed, gan gynnwys plant.

Mae Rhan III Deddf Gwahaniaethu ar sail Rhyw yn cynnwys y darpariaethau parthed gwahaniaethu mewn addysg a'r darpariaethau parthed gwahaniaethu wrth ddarparu nwyddau, cyfleusterau a gwasanaethau ac adeiladau. Ni ddylai ysgolion cyd-addysgol (*co-educational*) wahaniaethu yn uniongyrchol nac yn anuniongyrchol ar sail rhyw yn y ffordd maen nhw'n trin neu'n derbyn plant. Ni ddylai awdurdodau lleol wahaniaethu wrth gyflawni'u gweithrediadau dan y Deddfau Addysg.

Fel y gwelwyd gyda deddfwriaeth Cysylltiadau Hiliol, mae Deddf Gwahaniaethu ar sail Rhyw yn gwahardd gwahaniaethu uniongyrchol ac anuniongyrchol ill dau ar sail rhyw.

Gwahaniaethu uniongyrchol - gwelir hyn pan fydd menywod neu ddynion yn cael eu trin yn llai ffafriol ar sail eu rhyw nag y mae pobl o'r rhyw arall yn cael eu trin neu a fyddai'n cael eu trin mewn amgylchiadau cymharol.

Gwahaniaethu anuniongyrchol - gwelir hyn pan fydd amod neu ofynion yn cael eu cymhwyso'n gyfartal i fenywod a dynion ill dau, ond bydd yn effeithio ar ganran o fenywod sydd yn arwyddocaol uwch na dynion (neu *vice versa*) ac na ellir ei gyfiawnhau ar sail nad yw'n gysylltiedig â rhyw.

Mae darpariaethau arbennig am wahaniaethu ar sail newid rhyw, beichiogrwydd a mamolaeth ac aflonyddu (*harassment)* mewn cyflogaeth. Mae'r llysoedd wedi penderfynu nad yw Deddf Gwahaniaethu ar sail Rhyw yn gwahardd gwahaniaethu ar sail tueddfryd rhywiol. Ym maes cyflogaeth mae gwahaniaethu ar sail tueddfryd rhywiol yn anghyfreithlon dan Reoliadau Cydraddoldeb Cyflogaeth (Tueddfryd Rhywiol) 2003.

Rhyw, rhywedd a rhywiaeth

Sail biolegol sydd i rhyw. Caiff rhywedd, ar y llaw arall, ei adeiladu yn gymdeithasol, caiff ei ddysgu.

Sex is biologically founded. Gender by contrast is socially constructed; it is learned.

(Talbot, 1998:7)

Mae Yelland a Grieshaber (1998) yn gweld hunaniaeth rywiol fel
proses systemataidd sydd yn cychwyn ar enedigaeth a sydd yn cael eu siapio, mowldio a'i ailsiapio drwy gydol bywyd, yn unol a rhyw y plentyn newydd-anedig.

a systematic process that begins at birth and is continually shaped, moulded and reshaped throughout life, according to the sex of the newborn.

(Yelland a Grieshaber, 1998:1)

Mae rhywiaeth yn cyfeirio at weithredoedd neu amgylchiadau pryd mae mae un rhyw yn arddangos agweddau rhagfarnllyd' *(refers to actions or circumstances where one sex displays prejudiced attitudes)* (Gaine a George 1999: 5) neu weithredoedd tuag at y llall, ac yn ôl Brown (1998), mae'n

> tarddu o agweddau ac ymarferion sydd yn seiliedig ar y gred bod rhywedd unigolyn yn cyfyngu yn awtomatig ac yn diffinio ei g/alluoedd a'i g/weithredoedd, yn llywio ei g/alluoedd a'i h/ymddygiad a gwerth yr unigolyn.

> *Stems from attitudes and practices based on the belief that a person's gender automatically limits and defines her/his abilities and activities, determines her/his capabilities and behaviour and how she/he should be valued.*
>
> (Brown, 1998: 6)

Mae cymdeithasoli o ran hunaniaeth rywiol yn digwydd yn gyntaf o fewn y cartref ac yna tu allan i'r cartref gan gynnwys dylanwadau gan athrawon a gofalwyr mewn darpariaeth blynyddoedd cynnar. Gall gwahaniaethau o ran disgwyliadau a thriniaeth bechgyn a merched ddylanwadu ar eu dysgu, a'u harwain i dderbyn y canfyddiad ystrydebol a stereoteipaidd ohonyn nhw eu hunain a'u lle mewn cymdeithas (Brown 1998). Mae plant yn llunio eu syniadau trwy brosesau o gymdeithasoli i'r diwylliant sefydlog gyda normau, gwerthoedd, credoau, agweddau, a disgwyliadau ymddygiad yn seiliedig ar rhywedd. A hynny i gymdeithas lle mae

> anghydraddoldeb yn parhau a lle mae goruchafiaeth un rhywedd a israddoldeb y llall yn gyffredin.

> *where inequality is still being perpetuated and where the superiority of one gender and the inferiority of the other is often commonplace.*
>
> (Malik, 2003: 43).

Gellir edrych ar rai mathau o ymddygiad fel rhai priodol ar gyfer un hunaniaeth rywiol ac yn amhriodol ar gyfer y llall – er enghraifft efallai ei bod yn cael ei hystyried yn normal i ferched fod yn addfwyn ac yn emosiynol ond ddim i fechgyn sydd i fod yn galed ac yn gorfforol (Malik 2003). Gall stereoteipio ar sail rhyw gyfyngu a diffinio profiadau i ferched a bechgyn cyn iddyn nhw ddigwydd, gyda chanlyniadau a allai fod yn negyddol ac yn niweidiol. Felly mae'n bwysig edrych ar y ddarpariaeth blynyddoedd cynnar a gweld pa negeseuon sydd yn cael eu cyfathrebu. Ni ddylai adnoddau a gweithgareddau gryfhau stereoteipiau rhyw. Dylid annog plant i ddefnyddio ystod eang o ddeunyddiau chwarae ac i gymryd rhan mewn gweithgareddau chwarae nad ydyn nhw yn cael eu gwahaniaethu ar sail chwarae goddefol, domestig i ferched a chwarae gweithredol cystadleuol i fechgyn. Bydd angen ystyried iaith, er enghraifft, cyfeirio'n barhaus at athrawon fel 'hi' a meddygon fel 'ef'.

Ystyriwch y cwestiynau hyn

- Pam fod cyn lleied o ddynion yn gweithio gyda phlant ifainc yng Nghymru?
- Oes rhagfarn yn ein cymdeithas a'n diwylliant ni yn erbyn dynion yn gweithio gyda phlant?
- Beth yw sail y rhagfarn honno?
- Ydy'r un rhagfarnau neu agweddau tuag at ddynion yn gofalu am blant i'w gweld mewn diwylliannau eraill?
- Pa mor bwysig yw hi i blant bach bod dynion yn darllen iddyn nhw?
- Sut byddech chi'n cynllunio ymgyrch i ddenu fwy o ddynion i weithio gyda phlant ifainc?

Dylech chi gynorthwyo plant i agor drysau yn nhermau grym, personoliaeth a gyrfa posib drwy cynnwys 'hi' pryd byddech chi yn arferol ac yn awtomatig yn dweud 'fe'.

'You should help children open doors in terms of power, personality and future occupation by including 'she' when you would usually and automatically say 'he' (Malik, 2003: 125)

Dynion yn y sector gofal plant

Mae'r sector gofal plant yn gyflogwr mawr, mae'n galluogi menywod â phlant i ymgymryd â gwaith cyflogedig. Mae'r sector hon felly yn bwysig er mwyn gwireddu cydraddoldeb ar sail rhyw. Fodd bynnag dengys ffynonellau data mai dim ond oddeutu 2 neu 3 y cant o'r gweithlu gofal plant sydd yn ddynion ac mae hyn wedi aros yn sefydlog yn ystod y degawd diwethaf er gwaethaf ymgyrchoedd cenedlaethol a lleol i ddenu dynion i weithio yn y sector. Mae gweithlu cymysg yn herio stereoteipiau a dangos cydraddoldeb y rhywiau ar waith i blant ifainc gan gyfoethogi profiadau plant (CCC 2005).

Deddfwriaeth anabledd

Yng Nghymru, y prif ddarnau o ddeddfwriaeth parthed addysg plant ag anghenion arbennig yw: **Deddf Addysg 1996** a **Deddf Anghenion Addysgol Arbennig ac Anableddau 2001 (*SENDA*)**

Cyflwynwyd Cod Ymarfer Anghenion Addysgol Arbennig Cymru ym mis Ebrill 2002. Mae gofyn i bob darpariaeth blynyddoedd cynnar ystyried y Cod wrth benderfynu ar sut i gyflawni'u dyletswyddau statudol tuag at blant ag anghenion addysgol arbennig (Llywodraeth Cynulliad Cymru 2001, xi). Mae'r Cod Ymarfer yn cydnabod continwwm o anghenion addysgol arbennig gydag ymateb graddoledig cam wrth gam sydd yn cynnwys 'Gweithredu yn y Blynyddoedd Cynnar' (ymyriadau sydd yn ychwanegol i'r rhai a ddarperir fel arfer yn yr amgylchedd) a 'Gweithredu yn y Blynyddoedd Cynnar a Mwy' (cyfraniadau gwasanaethau cefnogi allanol). Rhaid i ddarpariaeth blynyddoedd cynnar cofrestredig gael polisi AAA ysgrifenedig a Chydlynydd Anghenion Addysgol Arbennig (*SENCO*) a fydd yn cynnig cyngor a chefnogaeth i weithwyr blynyddoedd cynnar, rhieni a phlant. Dywed y Cod Ymarfer 'ceir cysylltiad hysbys rhwng darpariaeth o safon uchel yn y blynyddoedd cynnar ac ymyrraeth effeithiol i blant sydd ag anghenion addysgol arbennig.' (LlCC 2001: 31).

Mae Wolfendale (2001) yn disgrifio cynnwys anghenion arbennig ac anabledd o fewn maes cyfleoedd cyfartal fel ffenomenon eithaf diweddar sydd yn deillio o Adroddiad Warnock 1978 sef yr adroddiad chwildroadol newidiodd cymaint o agweddau at AAA. Dyma'r adroddiad hefyd fu'n sail i ddeddfwriaeth newydd 1981.

Mae **Deddf Gwahaniaethu ar Sail Anabledd 1995** yn cynnwys dwy ddyletswydd graidd sydd yn berthnasol i bob darpariaeth blynyddoedd cynnar, y ddyletswydd i beidio trin plentyn anabl yn llai ffafriol a'r ddyletswydd i wneud addasiadau rhesymol ar gyfer plant anabl.

Mae National Children's Bureau (2003) - sef y corff cyfatebol yn Lloegr i Blant yng Nghymru - yn adnabod un o bob pump o blant yng Nghymru a Lloegr fel rhai sydd ag anghenion addysgol arbennig ac mae'n nodi tueddd cynyddol dros y ddeng mlynedd ddiwethaf tuag at gynnwys plant ifainc ag anghenion addysgol arbennig mewn darpariaeth blynyddoedd cynnar prif ffrwd. Cefnogir hyn gan y Cyfnod Sylfaen a seilir ar egwyddorion cynhwysiant gan gymryd i ystyriaeth 'y rhwystrau i chwarae, dysgu a chyfranogiad hefyd a achosir gan anawsterau corfforol, synhwyraidd, cyfathrebu neu ddysgu.' (ACCAC 2004: 3) Nid oes diffiniad statuol i'r egwyddor o cynhwysiant ond erbyn hyn, caiff ei ystyried yn rhan allweddol o ymarfer da (NCB 2003: 1).

Mae Corbett (2001) yn cynnig dadl ddiddorol. Os mai ystyr cynhwysiant yw ymateb i anghenion unigol, nid oes angen y term anghenion 'arbennig' gan nad yw'r anghenion yn arbennig. Fodd bynnag, mae Wall (2003) a Lunt (2002) yn cydnabod y tensiynau rhwng egwyddorion addysg gynhwysol, cyflawni anghenion unigol dwys a chymhleth, a hawliau plant a rhieni i gael mynediad at fathau arbenigol ar addysg.

Modelau a diffiniadau anabledd ac anghenion arbennig
Yn ôl **Deddf Addysg 1996** y diffiniad o blant ag anghenion addysgol arbennig fel rhai sydd '... ganddynt anhawster dysgu sydd yn golygu ei bod yn ofynnol gwneud darpariaeth addysgol arbennig ar eu cyfer' a phlant sydd ag 'anhawster dysgu' fel rhai sydd yn cael '...anhawster i ddysgu sydd yn sylweddol fwy na'r anhawster a gaiff y rhan fwyaf o blant yr un oed' neu 'os oes ganddynt anabledd sydd yn eu hatal neu'n eu llesteirio rhag gwneud defnydd o gyfleusterau addysgol o fath a ddarperir yn gyffredinol i blant o'r un oed'.

Mae **Deddf Plant 1989** yn diffinio plentyn anabl yn blentyn sydd yn

> ddall, yn fud neu fyddar neu sydd yn dioddef o anhwylder neu ddiffyg meddyliol o unrhyw fath neu sydd dan anfantais sylweddol a pharhaol drwy salwch, anaf neu anffurfiad neu fath arall o anabledd a nodir.

> *if he is blind, deaf or dumb or suffers from a mental disorder of any kind or is substantially and permanently handicapped by illness, injury or congenital deformity or such other disability as may be prescribed.*

> (The Children Act 1989 section 17(11))

Y model meddygol a'r model cymdeithasol yw dau o'r prif fodelau o anabledd. Yn y model meddygol gwelir anabledd fel cyflwr corfforol sydd yn cyfyngu ar yr unigol ac sydd yn bodoli, fel petai, oddi fewn i'r unigolyn. Y person anabl yw'r broblem (Gelder 2004). Fe'i seilir ar ddiagnosis o'r cyflwr – ac yn aml ar labelu'r cyflwr - ac ar argymell gwellhad (Wall 2003) ac mae'n gweld pobl ag anableddau fel rhai di-rym, yn ddibynnol ar eraill, yn aneffeithiol ac sydd angen triniaeth (Malik 2003). Mae'r model hwn yn labelu ac yn gwahanu (Wall 2003) ac mae'n cymdeithasoli plant ag anableddau i fewn i ddiwylliant sydd yn ymestyn anableddiaeth (*disablism)* yn hytrach na chydraddoldeb. Bydd y model hwn, meddai Malik, yn nacáu i'r plentyn y cyfle i wireddu ei obeithion ac yn arwain at hunan-ddelwedd isel a hybu canfyddiaeth ei fod yn ddiwerth (Malik 2003). Gwêl *Disability Equality in Education* feddylfryd y model meddygol yn gryf mewn ysgolion

> lle mae anghenion addysgol arbennig yn cael eu hystyried fel rhan o'r unigolyn, unigolyn sydd yn wahanol, sydd â nam a sydd angen cael ei asesu a'i wneud mor normal â phosibl.

> *where special educational needs are thought of as resulting from the individual who is seen as different, faulty and needing to be assessed and made as normal as possible.*

> (http://www.diseed.org.uk)

Maen nhw'n cynnig dewis arall sef dechrau o safbwynt hawl pob plentyn i berthyn ac i gael ei werthfawrogi yn ei ysgol leol gan edrych ar gryfderau'r plentyn a beth yw diffygion yr ysgol.

Mae model cymdeithasol anabledd, ar y llaw arall, yn darparu'r sail ar gyfer y cynhwysiant mewn darpariaeth blynyddoedd cynnar, ac mae'n gweld anabledd fel problem a grëir yn gymdeithasol lle:

> Gall nodweddion yn yr amgylchedd corfforol penodol ac yn y diwylliant ac agweddau cyffredin greu rhwystrau i unigolion cymryd rhan llawn.

> *Features in the specific physical environments and in the culture and prevalent attitudes can present barriers to full participation for individuals.*

> (Gelder, 2004: 104)

Gweld cymdeithas fel y broblem mae'r model cymdeithasol. Cymdeithas yw gwraidd yr ymwrthod, y gwahaniaethu a'r rhagfarn (Malik 2003) ac mae'n adnabod y rhwystrau, ymddygiadau a'r agweddau sydd yn achosi problemau i bobl anabl (Comisiwn Hawliau Anabledd). Er enghraifft, mae methu cerdded yn amhariad (*impairment)* ond anabledd yw 'diffyg darpariaeth a chyfleusterau, megis rampiau a lifftiau, sydd yn caniatáu symudoledd' (*disability is the lack of provision and facilities, such as ramps and lifts, which can provide mobility)* (Malik 2003). Felly nid yr anabledd sydd yn eithrio plant ond yn hytrach agweddau a pholisïau negyddol. Mae defnydd o'r term *plant anabl* yn hytrach na *phlant ag anableddau* yn fwy cyson â model cymdeithasol anabledd.

93

Gormesu lluosog a chysyniadau o degwch ac annhegwch

Mae'n bwysig cydnabod nad yw gwahanol ffurfiau ar ormes a gwahaniaethu'n digwydd ar wahân i'w gilydd ac felly ni all gweithwyr blynyddoedd cynnar ddelio â nhw ar wahân. Gwêl Thompson (2001) ormesu a gwahaniaethu fel ffenomena amlweddog gyda themâu cyffredin a gwahaniaethau, lle mae ffurfiau a ffynonellau amrywiol ar ormesu yn rhyngweithio â'i gilydd i greu gormesu lluosog. Yn ôl Siraj-Blatchford (2001) bydd hunaniaethau amlweddog yn cael eu creu oherwydd y rhyngweithiad rhwng dosbarth cymdeithasol, rhywedd, ethnigrwydd ac anabledd (neu'r hyn mae hi yn ei alw'n *dis*/ability). Ei gweledigaeth hi yw i staff blynyddoedd cynnar wneud plant ifainc yn ymwybodol bod:

> ganddyn nhw i gyd hunaniaeth ethnig/hil ac mae ganddyn nhw i gyd hunaniaeth amrywiol o safbwynt iaith, rhywedd, a diwylliant. Hyn, siŵr iawn, yw'r ffordd ymlaen? Mae'n rhaid ei bod hi'n haws i blant, o fod yn sicr bod eu hunaniaeth unigol yn amlochrog, i dderbyn bod eraill yr union yr peth – hyd yn oed pan fydd y cyfuniadau yn wahanol!

> *they all have an ethnic/racial identity and that they all have a linguistic, gendered, cultural and diverse identity. Surely this is the way forward? In being sure of one's own identity as multifaceted, it must be easier for children to accept that others are exactly the same – even when combinations are different!*
>
> (Siraj-Blatchford, 2001: 98)

Yn ei thrafodaeth ar ryw a damcaniaeth ffeministaidd ôl-adeileddol mae MacNaughton (2000) yn argymell cyfuno dadansoddiad rhywedd gyda dadansoddiad o hil, diwylliant, dosbarth a rhywioldeb. Teimla y gall gweithwyr blynyddoedd cynnar wneud hyn trwy: greu ffocws ar y gwahaniaethau o ran rhyw oddi fewn a rhwng diwylliannau; dysgu am ac annog plant i

> chwilio am hanesion a ffordd o fyw menywod o amrywiol gefndiroedd diwylliannol. Rhai oedd yn cyflawni'n gyhoeddus, yn arwresau, yn anturiaethwyr neu'n rebels.

> *seek the histories and lifestyles of women from a diversity of culture backgrounds who were public achievers, heroines, adventurers or rebels*
>
> (MacNaughton, 2000: 226)

A chael plant i gymryd rhan wrth ddysgu am

> tegwch ac anhegwch, megis bod yn hiliol a bod yn rhywiaethol; helpu plant i adnabod y ffurfiau yma ar anhegwch mewn testunau ac yn eu perthynas a'i gilydd.

fairness and unfairness such as racism and sexism; helping children to recognise these forms of unfairness in their relationships with each other and from texts.

(ibid: 227)

Gall gweithwyr blynyddoedd cynnar ddefnyddio'r cysyniadau tegwch ac annhegwch, a chof plant o sut mae'n teimlo i gael eu trin yn annheg ac i fod yn ddi-rym, gyda phlant ifainc er mwyn

tynnu ar y profiadau yma, i werthfawrogi'r ffyrdd maen nhw'n wahanol i'w gilydd ac i ystyried y gwahaniaethau yma yn gadarnhaol.

draw on these experiences, to appreciate the ways in which they differ from one another and to view these differences positively.

(Brown, 1998: 135)

Gall y daith tuag at ddatblygu ymarfer gwrthwahaniaethol fod yn un hir ac anodd, ond mae'n gwbl allweddol er mwyn darparu gofal o ansawdd uchel i blant ifainc.

Gwefannau defnyddiol

Confensiwn y Cenhedloedd Unedig ar Hawliau'r Plentyn:
http://www.plantyngnghymru.org.uk/unconvention

Comisiwn Hawliau Anabledd http://www.drc-gb.org

Comisiwn Cydraddoldeb Hiliol http://www.cre.gov.uk

Disability Equality in Education http://www.diseed.org.uk

Trafod ymhellach

- Sut mae iaith a geirfa yn medru niwedio'r unigolyn a chynnal agweddau rhagfarnllyd a gwahaniaethol? Ystyriwch, er enghraifft, sut mae iaith a therminoleg deddfwriaeth yn ymwneud ag anabledd yn adlewyrchu agweddau.

- Oes modd i oedolion 'ymyrryd' yn effeithiol yn chwarae plant ifainc er mwyn llywio eu canfyddiadau o rolau dynion a menywod? Ymchwiliwch i'r dystiolaeth ar y testun?

- Sut mae sefydlu a chynnal agweddau cadarnhaol, mewn darpariaeth blynyddoedd cynnar, at wahaniaethau hil ac ethnigrwydd, yn enwedig mewn ardaloedd lle mae cyfartaledd y boblogaeth ddu yn isel.

Pennod 6

Plant Ifainc a Rhywedd

Gallai fod gan ferched ddelfryd o ran rhywedd hefyd: sef benyweidd-dra â phwyslais penodol (Connell, 1987, 1995). Mae Ochsner (2000) yn nodi i 'fenyweidd-dra â phwyslais' (*'emphasised femininity'*) gael ei arddangos gan y merched pump a chwe blwydd oed yn ei hastudiaeth trwy symudiadau eu cyrff, dillad a thrwy'r drafodaeth am 'golur' er enghraifft: roedd hyn yn thema a ymddangosodd yn siarad, gweithredoedd, lluniau ac ysgrifennu'r plant.

Er y gellir gwrthsefyll y syniadau dominant ac ystrydebol hyn o wrywdod a benyweidd-dra, mae'n eithriadol o anodd oherwydd, fel rhan o'u dysgu, mae plant yn tueddu i fuddsoddi'n emosiynol wrth gael eu harferion o ran rhywedd yn 'gywir', gan gymryd y 'patrymau dymuniad' (*patterns of desire*) penodol sy'n berthnasol i'w rhywedd fel eu rhai nhw a'r hyn a gaiff ei ystyried yn ffyrdd priodol o fod yn wryw a benyw (Davies, 1989).

I gloi

Ar yr olwg gyntaf, gallai ymddangos bod tensiynau rhwng y damcaniaethau sy'n ceisio esbonio gwahaniaethau. Mewn un ystyr mae hyn yn wir; heb os nac oni bai, mae'r esboniadau hyn yn ymddangos o safbwyntiau damcaniaethol gwahanol ac yn awgrymu gwahaniaethau ym mecanweithiau a phrosesau ar gyfer datblygu hunaniaeth rhywedd. Fodd bynnag, o edrych arnyn nhw gyda'i gilydd, gall y damcaniaethau hyn roi plethiad o fewnwelediadau i ni a chyfrannu at ddealltwriaeth fwy cyflawn o ddatblygu rhywedd. Mewn geiriau eraill, gall datblygu rhywedd gael ei ystyried yn broses o ryngweithio parhaus rhwng bioleg a'r amgylchedd: 'natur' a 'meithrin'.

Mae'n glir bod dealltwriaeth o ddatblygiad hunaniaeth rhywedd yn bwysig i bawb sy'n gweithio gyda phlant ifainc. Ond mae angen i ni gofio, fel ymarferwyr blynyddoedd cynnar, ein bod ni hefyd yn fodau â rhywedd; felly mae'n rhaid i unrhyw ystyriaeth o ddatblygu rhywedd gynnwys cydnabyddiaeth a gwerthusiad o normau cymdeithasol, ac yn bwysig, ein dealltwriaeth a'n credoau ein hunain o ran rhywedd.

Cwestiynau a materion i'w trafod

- Pa mor gywir yw stereoteipiau rhywedd? Ym mha ffordd rydych chi a'ch ffrindiau yn cydymffurfio â stereoteip rhywedd?
- Pam y mae bechgyn lawer llai tebygol o groesi ffiniau rhywedd na merched?
- A ddylid herio ymddygiad yn ymwneud â rhywedd plant ifainc? Ystyriwch faterion megis moeseg a hawliau, ymarferoldeb, gwahaniaethau mewn arferion teuluol, parch, newidiadau cymdeithasol ac yn y blaen.
- Pa fath o weithgareddau, mewn darpariaeth blynyddoedd cynnar, byddech chi'n ystyried sy'n annog neu yn cynnal stereoteipio rhywedd?

Gwefannau

Y Comisiwn Cyfle Cyfartal http://www.eoc.org.uk

Pennod 7

Plant ifainc yn dysgu:
Golwg ar rai damcaniaethau

Pennod 7

Plant ifainc yn dysgu:
Golwg ar rai damcaniaethau

Siân Wyn Siencyn

Un o'r meysydd difyrraf i'w astudio yw sut rydym ni, fel rhywogaeth, yn dysgu. Beth sy'n dylanwadu ar y modd a'r hyn rydym yn ei ddysgu, a oes trefn i'r dysgu, beth yw cysyniadau, a sut rydym yn trefnu a dosbarthu ein gwybodaeth? Bu athronwyr megis Aristotles a Plato yn ystyried hyn dros dair mil o flynyddoedd yn ôl a thros y canrifoedd bu'n bwnc llosg ymysg addysgwyr, athronwyr, a diwinyddion fel ei gilydd. Bu perthynas amlwg rhwng astudio'r modd y mae plant yn dysgu a'r addysg a ddarparid. Mae'r modd y mae cymdeithas yn gweld plant, yn canfod dysgu plant, yn llywio sut mae'r gymdeithas honno yn darparu ar gyfer addysgu plant. Nid yw'n bosibl, felly, gwahaniaethu rhwng astudio'r modd y mae plant yn dysgu a gwleidyddiaeth a gwerthoedd y cyfnod.

Gelwir datblygiad y meddwl, y deall, y gweithgaredd meddyliol sy'n sail i ddysgu dynol yn ddatblygiad deallusol neu'n ddatblygiad gwybyddol. Mae'r maes yn un anodd ac astrus sy'n cynnwys astudiaethau a damcaniaethau cymhleth. Ar brydiau, nid yw'n hawdd darllen na deall y gwaith ymchwil sy'n sail i ddamcaniaeth nac ychwaith y damcaniaethau eu hunain. Mae'r holl faes hwn yn blethiad sy'n cynnwys astudiaethau ar iaith, ymwybyddiaeth, cof, datrys problemau, rhesymu ac yn y blaen.

Mae'r bennod hon yn cynnig gorolwg o rai o'r damcaniaethau blaenllaw sydd wedi dylanwadu ar ein canfyddiad o'r modd y mae plant ifainc yn dysgu. Ceir hefyd gipolwg ar rai o'r syniadau diweddaraf a fydd, o bosibl, yn dylanwadu ar y maes yn yr unfed ganrif ar hugain.

Rhai syniadau cynnar

Roedd diwinyddiaeth a chrefydd yn dylanwadu'n fawr ar un adeg ar y modd roedd pobl yn gweld plant ac yn deall eu dysgu. Roedd **Ignatius Loyola (1491-1556)**, sylfaenydd Cymdeithas yr Iesu neu'r Ieseuwyr (*Jesuits*) yn credu bod modd mowldio plant i fod yn Gristnogion da. Yn unol â'r gred Gristnogol, y farn oedd bod plant wedi eu geni'n bechaduriaid ond bod modd, trwy ras Duw ac ymyrraeth dynion, eu troi'n bobl dda, yn gweithio ar ran yr eglwys. Roedd yr athronydd o Sais, **John Locke (1632 - 1704),** yn credu, fel Aristotles a Thomas Acquinas o'i flaen, yn namcaniaeth y tabula rasa sef y term Lladin am lechen lân. Y gred hon oedd bod plant yn cael eu geni heb unrhyw allu cynhenid, a'u bod, fel y mae'r term yn ei awgrymu, yn llechi cwbl wag. Yn ôl y ddamcaniaeth hon, roedd holl wybodaeth a sgiliau plentyn yn cael eu datblygu'n raddol drwy brofiad ac o'u hymwneud â'r byd, a hynny'n bennaf drwy'r synhwyrau. Dyma weld bod y tensiwn rhwng natur a magwraeth (*nature - nurture*) yn un a fu'n destun dadl a thrafodaeth ers canrifoedd.

Yn wahanol iawn i'r gred Gristnogol mewn pechod gwreiddiol, roedd **Jean-Jacques Rousseau (1712-1778)** yn credu bod pobl, yn eu hanfod, yn dda, a'r hyn sy'n eu llygru yw drygioni cymdeithas. Cawn ein geni'n dda a daioni, yn ôl Rousseau, yw ein cyflwr naturiol. Petaem ni'n byw yn nes at natur, byddem yn fwy tebygol o fyw bywyd rhinweddol. Yn ei nofel arloesol *Émile* mae Rousseau yn gosod canllawiau ar gyfer dysgu bachgen ifanc yn unol ag egwyddorion 'addysg naturiol' (Dent, 1988). Nid oedd Rousseau yn credu mewn addysg at ddibenion penodol ond dylai, yn hytrach, fod er mwyn gwerth cynhenid dysg. Credai hefyd y dylid gwerthfawrogi a chaniatáu i ddiniweidrwydd y plentyn flodeuo'n naturiol. Yn wir, roedd llawer o syniadau Rousseau yn cyd-fynd â'n syniadau cyfoes ni, er enghraifft, nid chredai fod lles mewn dwrdio neu gosbi plant, ac yn sicr nid yn ormodol. Dylai plant, meddai, ddysgu hunangynhaliaeth a hunanreolaeth drwy ddysgu drostyn nhw eu hunain. Ac yn sicr, ni ddylid cosbi plant am fethu gwneud pethau, am eu methiannau. Yn debyg i eraill a ddaeth ar ei ôl, megis Piaget a Freud, roedd Rousseau yn gweld datblygiad a dysgu plant fel proses o gyfnodau penodol. Byddai rhaid, meddai, i addysgwyr ddeall y cyfnodau hynny ac er mwyn dysgu plentyn yn effeithiol, byddai rhaid i oedolyn ddeall pa gyfnod y byddai plentyn unigol ynddo. Fel Dewey, Montessori, ac eraill, roedd Rousseau yn gosod cryn bwyslais ar bwysigrwydd yr amgylchedd dysgu. Gwelai hefyd mai allwedd proses dysgu plant ifainc yw eu hannog i ddatrys problemau, i ddod i'w casgliadau eu hunain ynghylch y byd. Ni fydd dysgu'n digwydd pan fydd plant yn dibynnu ar awdurdod oedolion. Anogir *Émile* i ddarganfod drosto'i hun. Digon tebyg, wrth gwrs, i'r hyn a ddywed *Adeiladu'r Cyfnod Sylfaen: Cynllun Gweithredu:*

> Mae'n glir hefyd fod yn rhaid i'r arfer addysgol canlynol fod ar waith er mwyn i ddarpariaeth y blynyddoedd cynnar fod yn llwyddiannus:
> - Ystyried dysgu mewn goleuni cyfannol;
> - Dysgu gweithredol a thrwy brofiadau ymarferol;
> - Parchu gallu plant i fod yn hunangymhellol ac i gyfeirio eu hunain...
> (Llywodraeth Cynulliad Cymru, 2006: 1)

Mae **Johann Pestalozzi (1746 - 1826)** a **Friedrich Froebel (1782 - 1852),** y naill o'r Swistir a'r llall yn Almaenwr, yn bwysig i'r modd y mae cymdeithas yn gweld darpariaeth addysg. Bu syniadau Rousseau yn ddylanwadol iawn ar syniadau addysgol Pestalozzi ac roedd cred wleidyddol Pestalozzi, fel Rousseau o'i flaen, yn cael ei mynegi yn ei athroniaeth, sef hawl pob plentyn i addysg. Nid i'r cyfoethog yn unig y dylai addysg fod ond i bob plentyn, yn enwedig felly fel arf effeithiol i ymladd yn erbyn tlodi ac afiechyd. Sefydlodd Pestalozzi ysgol i blant amddifaid ac ymhen amser agorodd ysgol Yverdun a ddaeth yn ysgol enwog iawn. O gofio arferion addysgol y cyfnod, roedd cwricwlwm arloesol yn Yverdun: llawer iawn o nofio, ymarfer corff a bwyd maethlon, ynghyd â gwersi ffurfiol. Daeth athro ifanc o'r enw Friedrich Froebel i glywed am yr ysgol yn Yverdun ac aeth yno fel athro am gyfnod. Froebel, yn anad neb arall, a fu'n gyfrifol am hyrwyddo'r awyr agored a'i bwysigrwydd yn nysgu a datblygiad plant ifainc gan iddo osod sylfeini'r mudiad *kindergarten* (yn llythrennol: gardd y plant)

Roedd gan Gymru hefyd ei haddysgwyr cenhadol. **Griffith Jones, Llanddowror (1684-1761)** yw un o'r rhai mwyaf allweddol. Yn aelod o'r Gymdeithas er Hyrwyddo Gwybodaeth Gristnogol (*The Society for the Promotion of Christian Knowledge* neu'r SPCK), roedd Griffith Jones yn rheithor plwyf Llanddowror yn Sir Gâr drwy gydol ei oes. Cychwynnodd ysgolion teithiol gyda'r bwriad o ddysgu darllen i gynulleidfaoedd eglwysig fel eu bod yn medru darllen y Beibl. Achub eneidiau oedd nod Griffith Jones ac wrth anelu at y nod hwnnw, roedd hefyd yn sicrhau bod Cymry yn dod yn bobl lythrennog gyda gwybodaeth am y Beibl. Mae rhai'n awgrymu mai Griffith Jones a fu'n paratoi'r ffordd, fel petai, ar gyfer troi Cymru'n wlad Fethodistaidd ymhen amser (Davies, 2002). Nid oedd gan Griffith Jones ddiddordeb penodol mewn plant ifainc. Ei gred oedd bod dysgu, a dysgu darllen yn arbennig, yn allwedd i waredigaeth yr enaid.

Cymro arall sy'n enw mawr yn nhraddodiad addysg, ac yn arbennig yn addysg blynyddoedd cynnar, yw **Robert Owen (1771-1858)** a aned yn Y Drenewydd ym Mhowys. Wedi gyrfa mewn busnesau'n ymwneud â chynhyrchu defnyddiau o gwmpas Manceinion, aeth Robert Owen i ymuno â chwmni Chorton Twist yn New Lanark (Llannerch Newydd efallai) yn yr Alban. Tyfodd y cwmni'n un o gynhyrchwyr tecstilau mwyaf Prydain. Ond nid cyfalafwr barus oedd Robert Owen. Roedd ganddo ddiddordeb mawr yn lles ei weithwyr. Dadl Owen, fel Rousseau o'i flaen, oedd bod pobl yn naturiol dda. Credai fod pobl yn cael eu llygru a'u troi'n ddrwg gan gymdeithas galed ac o ganlyniad i gael eu trin yn greulon gan bobl eraill. Trefnodd bod gweithwyr ffatrïoedd New Lanark yn byw mewn stadau o dai pwrpasol yn agos at eu man gwaith. Penderfynodd Owen adeiladu ysgol i blant y gweithwyr oherwydd y credai fod addysg yn allweddol bwysig. Rhoddodd Owen y gorau i'r arfer o gyflogi plant ifainc yn y ffatrïoedd, er bod yr arfer yn gyffredin cyn hynny (fel mae o hyd mewn rhai rhannu o'r byd wrth gwrs). Roedd plant dan 10 oed yn mynychu'r ysgolion a'r meithrinfeydd yr oedd wedi eu sefydlu'n arbennig ar eu cyfer. Cred Owen oedd bod y modd yr oedd plant bychain yn cael eu trin yn effeithio ar y math o bobl y bydden nhw'n tyfu i fod.

Cyhoeddodd lyfr o'r enw *The Formation of Character* ym 1813 a bu nifer o gyhoeddiadau eraill ganddo'n amlinellu ei syniadau radical ynghylch dysgu ac addysgu plant. Nid oedd Owen, er enghraifft, yn credu mewn cosbi corfforol yn yr ysgol - safbwynt beiddgar iawn ar y pryd. Ond digon siomedig oedd yr ymateb ym Mhrydain i'w neges arloesol. Ceisiodd sefydlu cymuned sosialaidd, yn unol â'i ddaliadau, yn yr Unol Daleithiau ond ni chafodd lwyddiant yno ychwaith. Fodd bynnag, mae Cymdeithas New Lanark wedi sefydlu amgueddfa ddiddorol i'w waith a'i genhadaeth. Gall Cymru, bid siŵr, fod yn falch o'i gyfraniad at y traddodiad ac o'i ddylanwad ar fyd plentyndod.

Y ganrif ddiwethaf

Yn y cyfnod mwy diweddar, dros y can mlynedd a mwy diwethaf, bu maes newydd, sef seicoleg wybyddol, yn canolbwyntio ar y pwnc hynod hwn o sut mae plant ifainc yn dysgu. Gellid honni bod damcaniaethau'n ymwneud â phrosesau dysgu dynol yn perthyn, ar y

fod plant, erbyn eu bod yn bedair oed, yn dangos sgiliau mwy systematig wrth ddosbarthu. Bydden nhw, er enghraifft, yn gosod pethau sgwâr gyda'i gilydd (dosbarthu yn ôl siâp) ac yna, ymhen amser, yn gosod pethau sgwâr bychain gyda'i gilydd (dosbarthu deublyg, yn ôl siâp a maint).

Roedd Piaget yn ymwrthod yn llwyr â'r syniad bod plant nemor mwy nag oedolion bychain. Dangosodd fod plant yn naturiol chwilfrydig ac yn ddysgwyr naturiol ond bod angen ysgogi eu deall os ydyn nhw'n mynd i ddysgu.

Rhai o gysyniadau Piaget

Mewnoli, derbyn, cydbwyso (*assimilation, accommodation, equilibrium*)

Dyma'r ffordd, medd Piaget, y mae plant ifainc yn mewnoli eu profiadau. Wrth chwarae, er enghraifft, â hwyaden fach felen, daw'r plentyn i ddysgu bod yr hwyaden yn gwneud sŵn 'cwac' os yw'n cael ei gwasgu. Mae'n mewnoli'r wybodaeth. Ond wrth chwarae â theganau eraill, daw i ddeall bod y teganau hynny hefyd yn medru gwneud sŵn wrth gael eu gwasgu. Ond nid sŵn 'cwac' efallai. Bydd y plentyn yn derbyn yr wybodaeth newydd. Mae'n rhaid i'r plentyn ailystyried ei wybodaeth gyntaf ac ailsefydlu cydbwysedd y dysgu.

Cadwraeth (*conservation*)

Dyfeisiodd Piaget arbrofion i ganfod natur dysgu plant ifainc. Roedd rhai o'r arbrofion hyn yn ymwneud â sut roedd plant yn gweld newid, er enghraifft: byddai'n gosod rhes o fotymau, fel hyn:

● ● ● ● ● ●

Wedyn, byddai'n symud y botymau fel bod mwy o ofod rhyngddyn nhw.

● ● ● ● ● ●

Byddai plant yn y cyfnodau cynnar, o dan 7 oed, yn credu bod mwy o fotymau yn yr ail res na'r rhes gyntaf am eu bod, mae'n debyg, yn cymryd mwy o le. Nid oedd plant yn y cyfnod cynweithredol yn medru amgyffred cysyniad cadwraeth.

Parhad gwrthrychau (*object permanence*)

Dyma syniad Piaget am y gred sydd gan fabanod bod pethau nad ydyn nhw'n gallu eu gweld yn gorffen a bod. Os nad yw'r plentyn bach, meddai, yn gweld yr hwyaden fach felen, ni fydd yn chwilio amdani. Ond, pan ddaw'r plentyn i ddeall bod yr hwyaden yn bod, hyd yn oed pan nad yw yn y golwg, bydd y cysyniad pwysig o barhad y gwrthrych wedi ei sefydlu. Nid yw mam yn peidio â bod pan nad yw hi yn yr ystafell.

Yn ystod y cyfnod diweddar, bu cryn feirniadu ar syniadau Piaget. Credai, er enghraifft, fod meddwl rhesymegol yn datblygu tua chyfnod glaslencyndod. Ond mae corff o dystiolaeth ymchwil yn awgrymu nad yw hyn yn wir a bod nifer fawr o oedolion nad ydyn nhw'n datblygu'r math hwn o feddwl. Tebyg ei fod yn anghywir hefyd yn ei syniadau ynghylch pryd mae plant yn medru cyflawni rhai tasgau, megis cadwraeth. Mae Bruner, er enghraifft, yn awgrymu bod plant 5 oed yn medru cael eu dysgu i gadw os can nhw eu hannog i feddwl drostyn nhw eu hunain.

Dangosodd Samuel a Bryant (1984) fod rhai o brofion Piaget yn rhy gymhleth i nifer o'r plant eu deall yn iawn. Aethon nhw ati i symleiddio rhai o arbrofion Piaget gan ganfod bod plant o dan bump oed yn medru meddwl yn rhesymegol os oedden nhw'n deall yr hyn y gofynnwyd iddyn nhw ei gyflawni. Nid yw Piaget yn glir ynglŷn ag amseru'r cyfnodau - pryd mae un yn gorffen a'r nesaf yn cychwyn. Un cwestiwn mawr amlwg yw pam bod y cyfnodau penodol hyn yn bod o gwbl.

Mae'r ymddygiadwyr yn awgrymu bod datblygiad yn broses raddol, barhaus, gyda chryn orgyffwrdd ac nad proses o gamau clir mohoni. Wrth arsylwi ar ymddygiad plant, daeth Piaget i gasgliadau ynghylch y modd y mae'r meddwl yn gweithredu gan roi i'r swyddogaethau enwau megis mewnoli, sgema ac yn y blaen. Nid oes tystiolaeth i ddangos eu bodolaeth. Perthyn syniadau Piaget, fel cynifer o rai eraill, i fyd damcaniaethau a thybiaethau.

Y feirniadaeth lymaf yn erbyn gwaith Piaget yw ei fod yn rhoi gormod o bwyslais ar ddatblygiad deallusol y plentyn ac nad yw'n ystyried rôl emosiynau, anian, cymhelliant, amgylchedd cymdeithasol, ac yn y blaen yn y datblygiad hwnnw. Bu llu o brofion yn y cyfnod ôl-Piaget yn awgrymu bod plant ifainc yn medru uniaethu â gofid plant eraill. Mae gwaith Dunn (1988) yn dangos bod plant bach yn medru dangos emosiynau cymhleth a chyfoethog wrth ymwneud â'u brodyr a'u chwiorydd iau. Yr awgrym cryf, erbyn hyn, yw bod syniadau Piaget am ego-ganologrwydd plant ifainc hefyd yn anghywir. Erbyn hyn, gwelir symud go gadarn oddi wrth y pwyslais ar y gwybyddol yn unig gan gydnabod bod emosiynau a sgiliau cymdeithasol cyn bwysiced â'r deallusol.

Fodd bynnag, mae dylanwad Piaget wedi bod yn drwm ar y ddarpariaeth addysg ac ar bolisi addysgol. Lluniwyd y gwahaniaethu rhwng Cyfnodau Allweddol y Cwricwlwm Cenedlaethol ar gyfnodau Piagetaidd (ond gellid hefyd honni hyn am ddamcaniaethwyr eraill sy'n cynnig model cyfnodol o ddatblygiad plant megis Steiner a Freud). Cafodd Adroddiad Plowden *Plant a'u Hysgolion Cynradd (Children and their Primary Schools)* (1967) – y bu cryn feirniadu arno dros y blynyddoedd, o du'r asgell chwith am fod yn rhy neo-ryddfrydol ac o du'r asgell dde am fod yn rhy oddefgar ac unigolyddol – ddylanwad ar addysg gynradd yng Nghymru am ddegawd a mwy. Ymysg nifer o argymhellion, roedd Adroddiad Plowden yn argymell bod plant yn cael profiadau uniongyrchol, yn cael cyfleoedd i ennill a chadarnhau gwybodaeth drwy ddysgu darganfyddol (*discovery learning*) sef yr hyn a elwir yn aml yn ddysgu ymarferol (*hands-on*). Syniadau yw'r rhain sydd, wrth gwrs, wrth wraidd seicoleg wybyddol Piaget.

Cynigiodd **Lev Vygotsky (1896-1934)** athroniaeth gymdeithasol-ddiwylliannol (*sociocultural*) a hanesyddol sy'n ystyried bod datblygiad prosesau gwybyddol yn ganlyniad i ddeall cymdeithasol, i broses o fewnoli arwyddion cymdeithasol, a hefyd i fewnoli perthnasoedd diwylliannol a chymdeithasol. Mae syniadau Vygotsky wedi eu gwreiddio mewn damcaniaeth Farcsaidd a elwir yn fateroliaeth ddilechdidol (*dialectical materialism*), sef y gred fod newidiadau hanesyddol mewn cymdeithas a bywyd materol pobl yn effeithio ar y natur ddynol. Gan fod Vygotsky ei hun yn Farcsydd yn ystod cyfnod hynod gyffrous yn Rwsia ac yntau ei hun yn rhan o'r chwyldro comiwnyddol ym 1917, gellid dadlau wrth gwrs fod y cyfnod chwyldroadol yr oedd ef ei hun yn byw ynddo yn effeithio ar ei syniadau chwyldroadol.

Honna ei ddamcaniaethau mai'r berthynas rhwng y plentyn a'i brofiadau cymdeithasol yw hanfod ei ddysgu ac mai diwylliant yw'r prif ddylanwad ar ddatblygiad plant. Caiff y profiadau hyn eu hadeiladu gan y diwylliant a'r cyfnod y mae'r plentyn yn byw ynddo ac iaith yw'r cyfrwng mwyaf pwerus i gyfleu hyn. Yn wir, mae gwaith Vygotsky yn rhoi cryn bwyslais ar ddealltwriaeth o ddatblygiad iaith plant. Mae diwylliant, medd Vygotsky, yn dal dwy elfen angenrheidiol i ddysgu, ill dwy'n agos gysylltiedig â'i gilydd: diwylliant yw **cyfrwng** y dysgu a diwylliant hefyd yw **cynnwys** y dysgu. Diwylliant sy'n rheoli sut i ddysgu a beth i'w ddysgu.

> Mae pob gweithred yn natblygiad diwylliannol y plentyn yn ymddangos ddwywaith: yn gyntaf, ar y lefel gymdeithasol, ac wedyn, ar y lefel unigol, yn gyntaf rhwng pobl (rhyng-seicolegol) ac yna oddi mewn i'r plentyn (mewn-seicolegol). Mae hyn yr un mor wir am weithredu gwirfoddol, cof rhesymegol, a llunio cysyniadau. Mae swyddogaethau uwch yn cychwyn fel cysylltiadau gwirioneddol rhwng unigolion.

> *Every function in the child's cultural development appears twice: first, on the social level, and later, on the individual level, first between people (interpsychological) and then inside the child (intrapsychological). This applies equally to voluntary action, to logical memory and to the formation of concepts. All the higher functions originate as actual relationships between individuals.*
>
> (Vygotsky, 1978: 58)

Un o gysyniadau pwysig Vygotsky yw syniad yr offeryn diwylliannol (*cultural tool*). Honna Vygotsky fod pobl yn dylanwadu ar sut mae'r plentyn bach yn gweld y byd. Pobl sy'n creu sefydliadau dynol megis iaith, cymdeithas, sefydliadau gwleidyddol, diwylliant ac yn y blaen. Nid yw plant, meddai, yn datblygu mewn gwagle. Mae cyd-ddibyniaeth, medd Vygotsky, rhwng y plentyn a'r sefyllfa gymdeithasol. Oedolion sy'n gyfrifol am sefydlu amgylchedd dysgu'r plentyn, boed hwnnw yn y cartref, mewn cymdeithas ehangach, neu mewn sefydliadau addysgol megis meithrinfeydd neu ysgolion. Mae ymwneud y plentyn â'r byd hwnnw'n allweddol, yn enwedig felly ei hymwneud ag oedolion ac â phlant eraill, yn enwedig plant mwy medrus.

Dysgu darllen gyda'i gilydd

Daeth Vygotsky i'w gasgliadau yn dilyn arsylwi'n fanwl ar blant mewn gwahanol sefyllfaoedd ac wrth wahanol weithgareddau. Un o'i fethodolegau oedd rhoi tasgau i blant eu cyflawni neu bosau i'w datrys a oedd y tu hwnt i'w lefel ddatblygiad gyfredol.

Roedd ganddo ddiddordeb nid yn gymaint yn lefel berfformiad y plentyn ond yn hytrach yn y dull y byddai'n ei ddefnyddio i ddatrys problemau. Dyma'r sail i'n syniad cyfoes fod y broses o ddysgu'n fwy diddorol a mwy gwerthfawr i addysgwyr plant ifainc na chanlyniad y dysgu. Amlinellir hyn yn *Y Canlyniadau Dymunol i Ddysgu Plant cyn Oed Ysgol* (ACCAC, 2000):

> ...Mae a wnelo addysg i blant oedran meithrin nid yn unig â chynnwys
> y dysgu ond hefyd â chyd-destun y dysgu. Mae prosesau'r dysgu cyn
> bwysiced â'r canlyniadau
>
> (ACCAC 2000, 3)

Un o gysyniadau mwyaf pwerus a gwreiddiol Vygotsky yw ei fodel o'r parth datblygol procsimol (*zone of proximal development*). Y parth hwn, medd Vygotsky, yw'r gofod rhwng yr hyn y mae'r plentyn yn ei wybod a'r hyn nad yw eto yn ei wybod neu efallai na fydd byth yn ei wybod:

> Y parth datblygiad procsimal (PDP) yw'r pellter rhwng y lefel ddatblygiad go iawn, fel y'i hamlygir drwy ddatrys problemau'n annibynnol a lefel y datblygiad posibl drwy ddatrys problemau o dan gyfarwyddyd oedolyn neu mewn cydweithrediad â chyfoedion mwy medrus.

> *The zone of proximal development (ZPD) is the distance between the actual developmental level as determined by independent problem solving and the level of potential development as determined through problem solving under adult guidance or in collaboration with more capable peers.*
>
> (Vygotsky, 1978:90).

Y parth hwn, medd Vygotsky, yw'r man lle mae dysgu'n digwydd. O ganlyniad i'w waith, daeth Vygotsky i gredu bod modd cyfeirio plant gan oedolion ond, yn fwy pwysig efallai, gan blant mwy hyfedr ac abl na nhw eu hunain. Trwy esbonio, dangos, arddangos, herio drwy dasgau, gellir arwain plant at lefelau uwch o feddwl.

Yn ôl Vygotsky, mae gan blentyn ddau faes datblygiad: yn gyntaf, maes y datblygiad cyfredol sy'n cynnwys pob dim y bydd y plentyn yn medru ei gyflawni ar ei ben ei hun, ac yn ail, y parth hwnnw o gwmpas y datblygiad cyfredol sy'n cynrychioli'r hyn y bydd y plentyn yn medru ei gyflawni ymhen amser neu gyda chymorth. Dyma'r man lle mae dysgu'n digwydd.

Digwydd dysgu, felly, mewn cyd-destun ystyrlon ac mewn cyd-destun uniongyrchol a gweithredol (eto, y syniad o'r ymarferol, yr *hands-on*). Nid mewn gwagle haniaethol, er enghraifft, y bydd plentyn bach yn dysgu am gysyniad megis rhif ond yn hytrach drwy rifo gwrthrychau sy'n berthnasol i'w chwarae. Mae dysgu a datblygu yn brosesau cymdeithasol a chydweithredol. Nid oes modd eu 'haddysgu'. Mae'r addysgwr neu'r athro, yn ôl Vygotsky, yn hwylusydd sy'n hybu dysgu.

Fel bydd dysgu'r plentyn yn symud yn ei flaen, bydd y parth datblygiad procsimal yn dod yn faes y dysgu cyfredol a bydd cylch y PDP yn symud allan eto. Mae PDP pob plentyn yn gwahaniaethu gan fod y cyd-destun diwylliannol, disgwyliadau cymdeithasol, normau, a phrofiad yn ffactorau amrywiol a dylanwadol iawn. Mae deall y PDP yn golygu bod rhaid edrych ar yr unigolyn yn dysgu yng nghyd-destun cymdeithasol y dysgu:

> Mae dysgu yn deffro amrywiaeth o brosesau datblygol mewnol a all weithredu'n unig pan fydd plentyn yn ymwneud ag eraill yn ei amgylchedd ac mewn cydweithrediad â'i gyfoedion. Ar ôl i'r broses gael ei mewnoli, bydd yn dod yn rhan o gyflawniad datblygol annibynnol y plentyn.

> *Learning awakens a variety of internal developmental processes that are able to operate only when the child is interacting with people in his environment and in cooperation with his peers. Once the process is internalized, they become part of the child's independent developmental achievement*
>
> (Vygotsky, 1978: 97).

124

Mae Vygotsky yn awgrymu, felly, fod plant yn adeiladu eu gwybodaeth a'u dealltwriaeth eu hunain o'r byd, gyda chymorth oedolion a phlant eraill mwy medrus. Mae plant, hynny yw, yn dysgu drwy sgaffaldu sef y broses o ryngweithio cynorthwyol rhwng plant ac eraill. Mae termau megis, *sgaffadlu* ac *adeiladu* yn gyffredin yng ngwaith Vygotsky (Rogoff 1990). Yn y rhyngweithio yma bydd plant yn cael eu dwyn i mewn i'r diwylliant, eu mewnddiwyllannu (*enculturated*) i ddefnyddio offer diwylliannol, megis iaith, y diwylliant y maen nhw'n perthyn iddo.

Mae Vygostky a Piaget yn ddau adeileddwr allweddol. Maen nhw ill dau yn credu bod plant yn adeiladu eu gwybodaeth eu hunain a bod datblygiad yn dibynnu, i raddau helaeth, ar ryngweithio cymdeithasol.

Yn ganolog i ddamcaniaeth Vygotsky mae'r syniad na ellir gwahanu datblygiad dynol oddi wrth weithgaredd cymdeithasol a diwylliannol. Yn ôl Vygotsky, mae datblygu prosesau meddwl uwch plant yn ymwneud â dysgu defnyddio dyfeisiadau cymdeithasol, hynny yw, offer diwylliannol, megis iaith, trwy ymwneud â phobl fwy medrus yn y defnydd ohonyn nhw. I Vygotsky, mae sefydliadau, offer, a symbolau - yn cael eu creu gan bobl dros amser, mewn perthynas â'i gilydd, ac, yn aml, drwy wrthdaro. Bydd yr offer diwylliannol hyn yn cynnwys oedolion arwyddocaol, normau cymdeithasol, ac iaith. Yn ôl Vygotsky, bydd math ac ansawdd yr offer hyn yn llywio patrwm a graddfa'r datblygiad.

Disgwylir i Farcsydd o draddodiad materialaeth ddialectaidd gredu bod hanes yn ddylanwad pwerus. I Vygotsky, roedd dosbarth a grym, ymwneud pobl mewn cyd-destun hanes a digwyddiadau, yn un o'r dylanwadau canolog i ddatblygiad dynol.

> Mae diwylliant yn creu ffurfiau arbennig o ymddygiad, mae'n newid gweithredu'r meddwl, mae'n adeiladu lefelau newydd o'r system ddatblygol o ymddygiad dynol. Yn y broses o ddatblygiad hanesyddol, mae bod cymdeithasol yn newid y modd a'r dull o ymddwyn, mae'n trawsnewid tueddiadau a dibenion naturiol, mae'n datblygu ac yn creu ymddygiad newydd, penodol ddiwylliannol.
>
> *Culture creates special forms of behaviour, changes the functioning of mind, constructs new levels of the developing system of human behaviour. In the process of historical development, a social being changes the means and methods of his behaviour, transforms natural inclinations and functions, develops and creates new, specifically cultural, forms of behaviour.*
>
> (Vygotsky, 1968: 145)

Cysyniad pwysig arall gan Vygotsky oedd bod arwyddion diwylliannol yn cael eu defnyddio i gyfryngu (*mediate*) – i greu cysylltiadau – â'r amgylchedd cymdeithasol. Mae iaith, llefaru, ac ysgrifennu'n arwyddion cymdeithasol. Fe'u defnyddir i gyfryngu ag eraill, a chyn bwysiced, i gyfathrebu yn fewnol â ni ein hunain. Wrth fewnoli'r arwyddion hyn, daw pobl i fedru caffael meddwl o'r radd uchaf (*higher order thinking*).

Mae Vygotsky yn defnyddio'r esiampl o blant yn caffael iaith. Caiff iaith ei defnyddio, meddai, i gychwyn labelu ac enwi'r amgylchedd: mami, dadi, tedi, nain, llaeth, car ac yn y blaen. Wedyn, caiff iaith ei defnyddio i sefydlu perthynas â'r amgylchedd cymdeithasol: dweud diolch, siarad ar y ffôn, sgwrs wrth y bwrdd bwyd. Fel bydd iaith y plentyn yn datblygu, caiff ei mewnoli. Pan ddigwydd hyn, medd Vygotsky, bydd meddwl ac iaith yn cyfuno a bydd hyn yn caniatáu i brosesau meddwl ddatblygu. Mae iaith a llefaru yn cynorthwyo'r plentyn i feistroli ei amgylchedd ac felly'n allweddol i ddysgu.

> Cyn meistroli ei ymddygiad ei hun, bydd y plentyn yn meistroli ei amgylchedd gyda chymorth llefaru ac iaith.
>
> *Prior to mastering his own behaviour, the child begins to master his surroundings with the help of speech.*
>
> (Vygotsky, 1978: 25).

Mae Vygotsky yn awgrymu bod datblygiad dynol cynnar yn digwydd ar ddwy lefel gyfochrog:

- y lefel ryngbersonol (*interpersonal*) pan fydd plentyn yn creu cysylltiadau â'r byd, â'r amgylchedd cymdeithasol, a'r

- lefel fewnbersonol (*intrapersonol*) pan fydd plentyn yn creu perthynas ag ef ei hun, yn darganfod ei feddwl a'i feddyliau ei hun.

Mae'r plentyn felly yn greadur cymdeithasol yn gyntaf oll ac wedyn yn unigolyn. Roedd Vygotsky yn ystyried bod dau fath o ddatblygiad: naturiol a diwylliannol. Mae datblygiad naturiol – nid yw'n defnyddio'r gair naturiol yn yr ystyr o'r norm – yn broses fiolegol ac yn broses o aeddfedu (*maturation*). Mae i'r datblygiad hwn elfen gref o reidrwydd genetaidd. Yn ail, mae datblygiad diwylliannol yn ymwneud â'r arferion diwylliannol gan gynnwys iaith. O gyfuno'r ddau fath o ddatblygiad, y naturiol a'r diwylliannol, meddai Vygotsky, daw'r syniad o ddatblygiad deallusol neu gognitif.

Caiff diwylliant ddylanwad ar ddatblygiad plant mewn ffyrdd gwahanol: mae cynnwys sgwrs plentyn yn ddiwylliannol ac mae diwylliant yn dylanwadu ar y broses o feddwl (*tools of intellectual adaptation*). Yn fyr, felly, mae diwylliant yn dysgu plant beth i feddwl a hefyd sut i feddwl.

Ganed Vygotsky yn yr un flwyddyn â Piaget ond bu farw yn ŵr ifanc 37 oed o'r ddarfodedigaeth (TB) yn 1934, wedi cyfnod mewn gwersyll carcharorion o dan Stalin. Degawd yn unig fu ei yrfa fel seicolegydd a hwnnw'n ddegawd o gyffro aruthrol yn yr Undeb Sofietaidd. Gwaharddwyd ei waith yn ei wlad ei hun am ugain mlynedd ar ôl ei farwolaeth. Prin iawn oedd y rhai a wyddai amdano yn y gorllewin tan 1962 pan gyhoeddwyd cyfieithiad o'i waith i'r Saesneg dan y teitl *Thought and Language*. Bruner ysgrifennodd y rhagair i'r cyhoeddiad hwnnw. Gadawodd marwolaeth annhymig Vygotsky gwestiynau mawr ynghylch ei waith: syniadau cyfoethog a chyffrous sydd yma ond nid corff gorffenedig o ddamcaniaeth gyflawn.

Er nad yw ei waith yn hawdd ei ddarllen nac ychwaith ei ddeall, mae arwyddocâd Vygotsky yn aruthrol. Neges fawr damcaniaethau Vygotsky yw pwysigrwydd y cymdeithasol mewn dysgu plant. Nid yw plant yn dysgu mewn gwagle. Mae'r hyn y mae plentyn bach yn ei ddysgu yn dod o'i ddiwylliant. Mae barn Vygotsky am y plentyn fel dysgwr cymdeithasol-ddiwylliannol wedi bod yn ddylanwadol iawn ar sawl cwricwlwm blynyddoedd cynnar: Te Whāriki yn Seland Newydd, Reggio Emilia yn yr Eidal, ac ar Y Cyfnod Sylfaen yng Nghymru.

Datblygodd damcaniaethau adeileddiaeth gymdeithasol ymhellach gyda **Jerome Bruner (1915 -)**. Dywed Bruner yntau fod dysgu plant ifainc yn broses weithredol gyda'r plentyn yn adeiladu ei wybodaeth o'i brofiadau ac o'i ymwneud â'i amgylchedd. Mae'r dysgwr, meddai Bruner, yn adeiladu ei wybodaeth drwy addasu'r hyn y mae eisoes wedi ei ddysgu, proses nid annhebyg i'r hyn a gynigiai Piaget, sef addasu a chydweddu sgema.

Gwelir eto, yn namcaniaethau Bruner, mai rôl gynhaliol sydd gan yr oedolyn yn nysgu plant. Yr oedolyn yw'r sgaffaldydd - gair y mae Bruner hefyd yn ei ddefnyddio gan gynnal ysbryd a throsiad adeiladu'r adeileddwyr cymdeithasol blaenorol. Drwy sgaffaldu dysgu plant, hynny yw codi a chynnal trefn gefnogol i'r plentyn, y mae'r oedolyn yn cynorthwyo'r plentyn i adeiladu gwybodaeth a dealltwriaeth gadarn drosto'i hun. Mae Bruner yn cynnig model y cwricwlwm troellog (*spiral curriculum*). Yn y model yma caiff dysgu ei ddatblygu o'r syml i'r cymhleth gyda chyfleoedd i gynnwys ac atgyfnerthu dysgu blaenorol yn codi'n gyson. Bydd gweithgaredd deallusol y dysgwr yn cael ei gyfoethogi a'i hyrwyddo drwy iaith, sydd, wrth gwrs, yn debyg i'r hyn roedd Vygotsky hefyd yn ei gredu.

Dylanwadau cyfoes

Damcaniaethau adeileddiaeth gymdeithasol sydd wedi bod amlycaf yn ail hanner yr 20fed ganrif, ond mae mudiadau a syniadau eraill wedi mynnu llais, yn enwedig felly **seicoleg ddyneiddiol** neu **seicoleg ddynol**. Un o sylfaenwyr y maes hwn oedd y seicolegydd Americanaidd **Abraham Maslow (1908 - 1970)** a'i gyfraniad mwyaf nodedig oedd model y pyramid anghenion sydd wedi treiddio o seicoleg plant i fyd rheolaeth busnes erbyn hyn. Roedd Maslow yn hawlio bod gan bobl nifer o anghenion a'r rheini'n anghenion cynhenid. Mae'r anghenion hyn, yn ôl Maslow, wedi eu trefnu mewn hierarchaeth o bwysigrwydd i barhad yr unigolyn. Mae'r anghenion sy'n ymddangos yn isel ar y pyramid yn rhai cyntefig ar y cyfan ac yn gyffredin i bobl ac anifeiliaid fel ei gilydd. Ond, medd Maslow, pobl yn unig sydd â'r anghenion uchel sydd i'w gweld ar frig y pyramid.

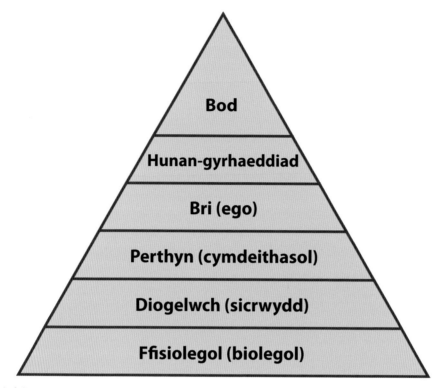

Ar lefel 1 y pyramid mae'r anghenion biolegol sylfaenol am fwyd, ocsigen, dŵr, gwres ac yn y blaen. Maen nhw'n anghenion ffisiolegol angenrheidiol. Dyma lefel y greddfau ffisiolegol ac oni chaiff yr anghenion hyn eu bodloni, ni fyddwn yn goroesi. Ar ôl i'r anghenion hyn gael eu bodloni, mae modd i'r unigolyn ganolbwyntio ar yr ail lefel o anghenion, sef yr angen i deimlo'n ddiogel ac yn saff gyda tho uwch ein pennau. Byddwn hefyd, meddai Maslow, yn chwilio am sefydlogrwydd. Efallai bydd y plentyn bach yn bodloni'r angen hwn drwy ymlyniad seicolegol (yr hyn y byddai Bowlby yn ei alw'n *attachment*).

Y drydedd lefel o anghenion yw'r angen am berthyn, am fod yn rhan o deulu, i garu a chael ein caru, am fod yn agos at eraill. Angen sydd yma, yn ôl y model, am hunaniaeth gymdeithasol, am fod yn rhan o rywbeth. Efallai fod hyn oherwydd ein bod yn awyddus i osgoi gelyniaethu ac yn ofni unigrwydd. Dyma fyddai Maslow yn honni yw'r rheswm pam rydym yn aelodau o gymdeithasau a chlybiau megis Ffermwyr Ifainc neu gôr. Mae'r bedwaredd lefel o anghenion yn cynnwys y rhai hynny sy'n ein cymell i chwilio am gydnabyddiaeth gan eraill, yr angen am statws a bri sy'n arwain at hyder a hunan-barch. Dyma'r rheidrwydd i fodloni'r ego. Mae methu ateb yr anghenion hyn yn medru arwain, meddai Maslow, at deimladau o israddoldeb a diffyg hyder. Gall y rhain wedyn yn eu tro arwain at salwch meddwl a niwrosis.

Gwêl Maslow fod anghenion 1- 4 ar y pyramid yn anghenion greddfaol (*instinctoid*) a byddwn, yn ystod ein bywydau, yn symud i fyny ac i lawr pyramid 1- 4 gan ddibynnu ar ein hamgylchiadau. Petaem ni, er enghraifft, yn ein cael ein hunain yn sydyn mewn sefyllfa o warchae rhyfel, byddem ni'n symud yn sydyn o lefel 4 efallai i lefel 1. Honna Maslow fod y model hwn yr un mor berthnasol i gymdeithasau a chymunedau ag yw i unigolion.

Ar frig y pyramid mae'r hyn mae Maslow yn ei alw'n hunangyflawniad (*self-actualisation*). Dyma'r cyflwr o gyrraedd potensial, o gyflawni, o fod yn chi eich hun. Ni fydd babanod a phlant ifainc, meddai Maslow, yn debygol o gyrraedd hunangyflawniad gan fod y cyflwr hwn yn dod o aeddfedrwydd a phrofiad. Yn wir, ychydig iawn o'r boblogaeth – dau y cant o'r boblogaeth yn ôl Maslow - sy'n medru cyrraedd y man dyrchafol yma! Amlinellodd Maslow nodweddion hunangyflawniad wedi astudio nifer o gydweithwyr a phobl hanesyddol a ystyriai'n hunangyflawnwyr.

Nodweddion hunangyflawnwyr Maslow

- Pobl sy'n byw yn y byd go iawn, yn canolbwyntio ar realiti, yn ddatryswyr problemau
- Pobl breifat, nid gor-gymdeithasol, ychydig o bobl maen nhw'n agos iawn atyn nhw
- Pobl annibynnol yn ddiwylliannol nad ydyn nhw'n dilyn y praidd
- Pobl ddemocrataidd, yn barod i dderbyn eraill ac yn gyfforddus gyda gwahaniaethau
- Pobl sy'n medru teimlo llawenydd a boddhad mawr
- Pobl anghydffurfiol, annhebygol o ildio i bwysau cymdeithasol
- Pobl sy'n dangos tosturi, yn addfwyn a chynhwysol, gydag ymdeimlad cryf o gyfrifoldeb cymdeithasol
- Pobl gyda synnwyr digrifwch!

Y nodwedd fwyaf trawiadol am seicoleg ddyneiddiol yw'r gred sylfaenol ym mhotensial pob person i dyfu ac i newid - y math o optimistiaeth Americanaidd fod pob dim yn bosibl.

Cefnogir yr ymagweddiad dyneiddiol ymhellach gan **Urie Bronfenbrenner (1917 -)** a'i fodel ecolegol o ddatblygiad dynol. Mae'r model hwn, eto, yn gorfodi golwg ehangach ar ddysgu a datblygiad plant a hynny oddi fewn i systemau cymhleth o gyd-ddibyniaeth gymdeithasol a chymdeithasegol. Systemau y mae Bronfenbrenner yn eu galw'n ecosystemau:

- **Micro-system**: dyma'r cylch o ddylanwadau mwyaf uniongyrchol sy'n cynnwys y teulu, y cartref, yr ysgol, y dosbarth, y grŵp crefyddol.

- **Meso-system**: dyma'r ymwneud rhwng y cylchoedd dylanwad, er enghraifft y berthynas rhwng y teulu a'r ysgol, rhwng y cartref a'r gymuned.

- **Ecosystem**: dyma'r amgylchedd allanol, nid dyma'r byd mae'r plentyn yn ymwneud yn uniongyrchol ag ef, ond sy'n effeithio ar fywyd y plentyn, er enghraifft, man gwaith y rhieni.

- **Macro-system**: dyma'r cylch o normau cymdeithasol a diwylliannol, y gymdeithas a'r amgylchedd ehangach, byddai'n cynnwys polisïau cyhoeddus a gwleidyddol, agweddau cymdeithasol, arferion a disgwyliadau diwylliannol.

Mae'n herio addysgwyr, seicolegwyr, a'r rhai sy'n llunio polisïau i ystyried dysgu plant oddi mewn i'r systemau dylanwadau yma, er enghraifft:

- sut mae polisïau cyflogaeth, megis cyfnodau mamolaeth a thadolaeth, yn dylanwadu ar ddatblygiad plentyn;

- sut mae polisïau adeiladu ffyrdd yn effeithio ar gyfleoedd chwarae plant;

- sut mae pris tai, polisïau cynllunio, dulliau adeiladu, cost gwresogi yn dylanwadu ar iechyd plant;

- pa effaith mae arferion meddygol, gwariant cyhoeddus ar iechyd, normau glendid mewn teuluoedd, lleoliadau ac argaeledd gwasanaethau ysbytai yn eu cael ar fywydau a chyfleoedd bywyd plant.

Fe gawn, felly, yn y model hwn o ddatblygiad dynol (nid yw Bronfenbrenner yn gweld hyn yn broses sy'n perthyn i blentyndod yn unig ond un gydol oes) y cysyniad o'r plentyn mewn cyd-destun (*the contextualised child*). Caiff datblygiad plant, medd yr amgylcheddwyr seicoleg hyn, ei ddylanwadu a'i lywio gan y rhyngweithio rhwng ffactorau megis:

- yr unigol (geneteg)
- y teuluol (megis dulliau ac arferion magu plant)
- y cymdeithasol (diwylliant ac iaith)
- yr amgylcheddol (megis daearyddiaeth, lleoliad)
- y gwleidyddol (polisïau cymdeithasol, iechyd, economaidd ac yn y blaen)
- yr hanesyddol (amser a lle)

Mae'r rhain, a chwestiynau dyrys a heriol eraill, yn arwain at drafodaeth ddiddorol ym maes damcaniaeth dysgu plant. Disgwrs wleidyddol yw hon yn ei hanfod.

Cafwyd ers rhai blynyddoedd drafodaeth heriol ynghylch natur dysgu ac yn benodol ynghylch natur seicoleg wybyddol fel gwyddor. Mae **seicoleg ddiwylliannol** yn cymryd yn ganiataol fod perthynas uniongyrchol rhwng diwylliant a meddwl, ac nid oes modd, felly, adnabod rheolau absoliwt ynghylch sut mae'r meddwl dynol yn gweithio. Fel y gwelwyd eisoes, dynion sydd wedi dominyddu'r maes a'r rheini'n ddynion gwyn, dosbarth canol, Ewropeaidd. Roedden nhw i gyd wedi cael yr un math o hyfforddiant ac i gyd yn gweithio yn yr un traddodiadau gwyddonol ac yn ôl yr un canllawiau. Ond daeth tro ar fyd wrth i ddiwylliannau eraill a myfyrwyr o draddodiadau eraill fynnu llais. Dyma weld syniadau Vygotsky ynghylch pwysigrwydd y cyd-destun diwylliannol yn cael eu haddasu i oes newydd. Dywed Schweder:

Seicoleg ddiwylliannol yw astudiaeth o'r ffordd y mae traddodiadau diwylliannol ac arferion cymdeithasol yn rheoli, mynegi, a thrawsnewid y *psyche* dynol, gan arwain, nid at unoliaeth seicolegol dynoliaeth ond, yn hytrach, at wahaniaethau ethnig o ran meddwl, yr hunan, a theimladau.

Cultural psychology is the study of the way cultural traditions and social practices regulate, express, and transform the human psyche, resulting less in psychic unity for humankind than in ethnic divergences in mind, self, and emotion.

(Schweder,1991:72)

Mae gan y maes cyffrous hwn ei gyhoeddiadau blaengar a'i feysydd astudiaeth. Er enghraifft, gwelir papur ymchwil ar werthoedd magu plant tadau a mamau Estonia a'r Ffindir yn dilyn ymchwil ym Mhrifysgol Tartu yn Estonia. Mae'n nodi nid yn unig wahaniaethau diwylliannol dwys rhwng y ddwy gymuned ond hefyd rhwng tadau a mamau yn eu dulliau o fagu plant ac yn y gwerthoedd y maen nhw'n gosod bri arnyn nhw (Tulviste a Ahtonen, 2007).

Y dylanwad mwyaf ar y seicolegydd a'r ymchwilydd **Barbara Rogoff** oedd Vygotsky. Mae ganddi ddidordeb arbennig yn rôl oedolion yn llywio a mowldio dysgu plant. Gwelodd Rogoff fod cymdeithas a diwylliant yn allweddol i'r broses hon. Aeth ati i astudio, fel seicolegydd ethnograffaidd yn y maes, yng nghanol cymuned Maya yn Guatemala. Bu'n arsylwi plant ifainc gan nodi eu bod yn cymryd rhan yn yr un gweithgareddau â'r oedolion: coginio a pharatoi bwyd, garddio, gofalu am blant, trin y cartref ac yn y blaen. Nid oedd, yn y gymdeithas honno, arferion plentyndod fel yr oedd Rogoff yn gyfarwydd â nhw yn yr Unol Daleithiau. Yn ei harsylwadau, nododd Rogoff fod gwehyddu yn bwysig iawn yn niwylliant y Maya ac roedd ganddi ddiddordeb mawr yn y modd yr oedd y merched bach yn dod i ddysgu'r grefft o wehyddu, yn enwedig gan fod gwehyddu'n broses gymhleth iawn sy'n gofyn am nifer fawr o sgiliau. Daeth i'r casgliad fod plant yn dysgu'n raddol, dros gyfnod maith o amser, gan edrych yn gyntaf a chael cyfarwyddyd gofalus a hwyliog gan yr oedolion. Galwodd Rogoff hyn yn gyfranogi dan gyfarwyddyd (*guided participation*).

Erbyn hyn, a hithau'n seicolegydd dylanwadol iawn yn y maes, mae ganddi ei grŵp ymchwil enwog ei hun ym Mhrifysgol California. Caiff ei llyfr *Apprenticeship in Thinking* ei ystyried yn glasur cyfoes. Ynddo mae'n dadlau nad proses unigolyddol yw meddwl ond ei bod yn ymwneud â bywyd bob dydd ac mai gweithred gymdeithasol yw hi yn ei hanfod. Ar hyn o bryd, mae hi a'i grŵp yn parhau i weithio ar brosiect diddorol iawn - *Learning together: Children and adults in a school community* - yn astudio prosesau dysgu ac addysgu mewn ysgol gynradd. Fel y dywed ar ei gwefan:

Mae hon yn ysgol sydd ag ymrwymiad i berthynas gydweithredol rhwng oedolion a phlant, yn ogystal â rhwng plant a'i gilydd. Caiff y cwricwlwm ei drefnu o gwmpas diddordebau'r plant, yr athrawon, a'r rhieni sy'n wirfoddolwyr.

This is a school committed to collaborative relations between adults and children, as well as among children. It organizes the curriculum around the interests of the children, teachers, and parent volunteers.

(Rogoff, et. al. 2003: 47)

Syniadau arloesol yn wir a gaiff eu hadlewyrchu yn athroniaeth addysgol enwog Reggio Emilia yn yr Eidal. Mae gwaith y seicolegwyr diwylliannol, o safbwynt methodoleg eu hymchwil, eu dulliau o weithio, a'u casgliadau'n wahanol iawn i eiddo Piaget.

Maes arall sydd wedi datblygu yn ystod y blynyddoedd diwethaf yw **seicoleg esblygol** *(evolutionary psychology)* a hynny o dan ddylanwad biolegwyr ac esblygwyr megis Richard Dawkins. Yn ôl y damcaniaethau hyn, mae nodweddion dynol megis cof, canfyddiadau, iaith, a phob math o ymddygiad yn gynnyrch prosesau o ddewis naturiol *(naturial selection)*. Mae'n ymwneud felly â'r ffordd mae esblygiad - damcaniaeth fawr Darwin - wedi mowldio'r meddwl a'r ffordd mae'r rhywogaeth ddynol yn meddwl. Dyma'r gangen o seicoleg gyfoes sy'n dwyn seicoleg wybyddol draddodiadol a bioleg esblygol at ei gilydd ond mae'n cynnwys hefyd elfennau o anthropoleg, geneteg, sŵoleg, ac archaeoleg. Dywed Cosmides a Tooby (1993), dau o sylfaenwyr y maes hwn:

Ymagweddiad at seicoleg yw seicoleg esblygol, pan fydd gwybodaeth ac egwyddorion bioleg esblygol yn cael eu defnyddio mewn ymchwil ar strwythur y meddwl dynol. Nid maes astudiaeth mohono, fel gweld, rhesymu, neu ymddygiad cymdeithasol. Mae'n ffordd o feddwl am seicoleg… Ar yr olwg yma, mae'r meddwl yn set o beiriannau prosesu-gwybodaeth a gafodd eu cynllunio drwy ddethol naturiol i ddatrys problemau addasiadol a wynebid gan ein hynafiaid o helwyr-gasglwyr.

Evolutionary psychology is an approach to psychology, in which knowledge and principles from evolutionary biology are put to use in research on the structure of the human mind. It is not an area of study, like vision, reasoning, or social behavior. It is a way of thinking about psychology…In this view, the mind is a set of information-processing machines that were designed by natural selection to solve adaptive problems faced by our hunter-gatherer ancestors.

(Cosmides a Tooby. 1992: 2)

Yn syml iawn, yn or-syml efallai, gellid dadansoddi ofnau plant, er enghraifft, mewn fframwaith seico-esblygol. Pam mae hi'n lled gyffredin i blant bach fod ag ofn corynnod? Does dim perygl mewn corryn bach. Mae'n llawer iawn llai na'r plentyn ac yn annhebygol iawn o fod yn wenwynig (yng Nghymru beth bynnag). Byddai'r seico-esblygwyr yn awgrymu bod hwn yn ofn sydd wedi ei ddatblygu dros ddegau o filoedd o flynyddoedd ers y cyfnod pan oedd ein hynafiaid pell yn byw mewn ogofâu, heb oleuni, a bod gwe pry cop yn rhywbeth anweledig. Byddai'r ddynoliaeth gynnar yma yn magu ofn atyn nhw ac yn trosglwyddo'r ofn hwnnw i'w gilydd. Dros gyfnod o amser, daeth hwn yn ofn a oedd wedi ei rwymo megis yn y genynnau, yn y DNA dynol.

Un o'r dylanwadau mwyaf cyffrous ar seicoleg wybyddol yw technoleg gwybodaeth a chyfrifiaduron a'r effaith y maen nhw wedi ei chael ar y canfyddiad o ddysgu. Ymgais sy'n y maes hwn, a elwir yn **ddamcaniaeth prosesu gwybodaeth** (*information processing theory*), i ganfod y berthynas rhwng y modd y mae cyfrifiaduron yn dysgu a phrosesau dysgu plant a phobl.

Wrth i syniadau seicoleg wybyddol ddatblygu yn ystod y 1950au, roedd cyfrifiaduron a thechnoleg hefyd yn datblygu. Gan fod cyfrifiaduron yn medru cadw gwybodaeth ac adalw (*retrieve*) yr wybodaeth ynghyd â datrys problemau ar gryn gyflymder, y gred oedd bod modd dysgu llawer am y meddwl dynol drwy astudio cyfrifiaduron, yn enwedig damcaniaethau'n ymwneud â chanfyddiad a chof (*perception and memory*). Mae'r meysydd hyn, ynghyd â datrys problemau a chanolbwyntio, yn allweddol i ddeall sut mae plant yn datblygu eu syniadau deallusol. Mae'r agwedd gyfoes hon ar seicoleg wedi dod â geirfa newydd, o fyd technoleg gwybodaeth, i'r astudiaeth o gof plant. Tameidio (*chunking*) yw'r term a roddir ar y broses o dorri gwybodaeth yn ddarnau sy'n haws eu trin, er enghraifft, pa un sy'n haws ei gofio: BKWFFWLLXADY neu BKW FFW LLX ADY? Dros y degawd neu ddau ddiwethaf, mae damcaniaethau prosesu gwybodaeth wedi bod yn ddefnyddiol iawn o ran cynnig golwg newydd ac esboniadau eraill ar ddysgu dynol.

Efallai mai'r maes mwyaf heriol i leygwyr yw **datblygiad yr ymennydd** a **niwro-wyddoniaeth**. Dyma'r man lle mae seicoleg a ffisioleg gymhleth yn dod at ei gilydd ac yn cynnig esboniadau gwyddonol astrus a thechnolegol ynghylch dysgu a'r potensial i ddysgu. Mae datblygiadau cyffrous megis sganiau MRI a CAT wedi cynnig golwg syfrdanol ar yr ymennydd, ac yn sgîl hynny, gwybodaeth amdanom ni ein hunain. Ceir yma faes yn llawn geirfa dechnegol a disgrifiadau anodd o weithdrefnau gwyddonol: niwronau, synapsau, dentreitiau ac yn y blaen. At hynny, mae rhifyddeg a mathemateg y maes yn ymdrin â rhifau anferthol. Mae sôn am biliynau o gelloedd a thriliynau o gysylltiadau yn gyffredin. Erbyn 20fed wythnos beichiogrwydd, mae gan ymennydd y ffetws un biliwn o gelloedd. Dyma fwy o gelloedd, mae'n debyg, nag ymennydd oedolyn. Ym mhob rhan o'r ymennydd mae miliynau o niwronau (celloedd y nerfau) sydd wedi eu cysylltu â'i gilydd gan synapsau. Cysylltir y plethwaith cymhleth drwy'r synapsau hyn a'r llwybrau maen nhw'n creu a hynny ar gyflymder syfrdanol. Y cysylltiadau hyn, eu nifer a'u trefn, sy'n dylanwadu ar ddatblygiad y plentyn. Caiff cysylltiadau newydd eu sefydlu a chaiff eraill eu tocio, mae'n debyg am nad ydyn nhw'n cael eu defnyddio'n gyson.

Erbyn hyn, credir bod y baban ei hun yn chwarae rhan flaenllaw yn natblygiad ei ymennydd ei hun. Er bod gweld yn synnwyr anaeddfed mewn babanod newydd-anedig, oherwydd y symbylu ar y cortecs golygol (*visual cortex*), sef y rhan o'r ymennydd sy'n rheoli gwybodaeth weledol, erbyn i'r baban gyrraedd 6 mis oed bydd yn gweld cystal ag oedolyn. Gwyddys hefyd, erbyn hyn, fod baban yn y groth yn medru clywed, ac ar ben hynny, mae'n medru adnabod lleisiau. Dengys ymchwil, er enghraifft, fod baban newydd-anedig yn medru gwahaniaethu rhwng iaith ei fam a phob iaith arall. Mae baban sydd â'i fam yn siarad Cymraeg yn medru adnabod Cymraeg yn fuan ar ôl ei eni. Nid yw'n medru gwahaniaethu rhwng Ffrangeg ac Eidaleg ond mae'n medru gwahaniaethu rhwng Cymraeg a Ffrangeg. Yr hyn sy'n rhyfeddol, o feddwl amdano, yw gallu'r baban yn y groth nid yn unig i glywed ond hefyd i gofio'r hyn a glywodd (Gopnik 2000).

Mae gwyddoniaeth yn awgrymu bod profiadau cynnar o bob math yn cael effaith aruthrol ar y datblygiad hwn. Mae'r ymennydd yn gweithredu ar yr egwyddor defnyddio-neu-golli (*use it or lose it*). Y cysylltiadau hynny a ddefnyddir yn gyson yn unig a gaiff eu cadw. Dywedir, er enghraifft, fod babanod yn cael eu geni â'r gallu i gynhyrchu pob sain ym mhob iaith ddynol (Gopnik, 2000). Ond, gan nad ydyn nhw'n clywed y seiniau hyn, ni fydd y cysylltiadau sain yna'n cael eu sefydlu nac ychwaith eu cynnal. Dyna, efallai, pam mae oedolion sy'n siarad Saesneg yn unig yn ei chael hi mor anodd i ddweud *Llanelli* - a pham, hefyd, mae oedolion sy'n siarad Cymraeg yn Sir Gaerfyrddin (a Cheredigion, Sir Benfro, a Morgannwg) yn ei chael yn amhosibl gwahaniaethu rhwng seiniau *u* ac *i* y Gogledd. Nid yw plant ysgol Sir Fôn yn gorfod dysgu am *i-dot* ac *u-bedol*. Ond mae plant ifainc yn medru adfer y seiniau y maen nhw wedi cael gwared arnyn nhw a'u defnyddio eto. Nid yw hi mor rhwydd i oedolion wneud hynny. Dyna un o'r rhesymau pam mae plant ifainc gymaint yn well nag oedolion gydag ail iaith - yn well ar seiniau iaith, beth bynnag.

Mae symbylu cynnar a chyson drwy gyffwrdd, sgwrsio, arogli, a gweld yn adeiladu cysylltiadau synaptaidd cryf. Os nad yw plentyn yn cael y profiadau hyn, bydd ei gysylltiadau synaptaidd yn cael eu tocio a bydd yr ymennydd yn aros yn fach a heb ei ddatblygu. Gwelwyd hyn mewn plant a oedd yn cael eu magu mewn amgylchedd difreintiedig megis cartrefi plant amddifad yn Romania. Maen nhw'n profi llai o seiniau, llai o sŵn, llai o liw, o symud, o ymwneud ag eraill. O'r herwydd mae eu hymennydd yn debygol o fod yn llai na phlant sy'n cael cyfoeth o brofiadau synhwyrus a chariadus.

Ymddengys fod cyfnodau allweddol i hybu datblygiad yr ymennydd. Gelwir y cyfnodau hyn yn ffenestri cyfle (*windows of opportunity*). Os nad yw plentyn bach, er enghraifft, yn cael profiadau iaith yn gynnar yn ei fywyd, fe fydd hi'n fwy anodd iddo ddatblygu iaith yn ddiweddarach. Erbyn hyn, mae niwrowyddonwyr a seicolegwyr yn gytûn fod angen i blant ifainc iawn gael cwmni a symbyliad gan yr oedolion sy'n gofalu amdanyn nhw. Daw'r berthynas a'r cyd-ymwneud cariadus a gofalgar drwy oedolion yn chwarae, canu, a sgwrsio â phlant ifainc. Dywed Greenfield mai hwyl sydd â chanlyniadau difrifol yw chwarae (*play is fun with serious consequences*) (Greenfield, 1996).

I gloi

Dros y canrifoedd bu llawer iawn o ddadlau, ymchwilio, arsylwi, arbrofi, athronyddu, a phregethu ynghylch dysgu plant ifainc. Er i bob un ohonom ni fod yn blant ar un adeg, nid ydym yn medru esbonio (na chofio ychwaith yn aml) sut bu i ni feistroli sgìl penodol, megis reidio beic neu adeiladu tŵr o friciau. Efallai ein bod yn cofio'r digwyddiad ond nid y broses. Erys cymaint yn ddirgelwch. Ond gellir crynhoi'r prif negeseuon, hyd yma, fel hyn, yn syml:

- Mae plant bach yn dysgu orau trwy wneud, cyffwrdd, arbrofi, a darganfod drostyn nhw eu hunain.

- Mae plant bach yn dysgu yng nghyd-destun amgylchedd a diwylliant eu cyfnod.

- Mae oedolion gofalus a chynnes sy'n ymateb i lefaru plant, yn gwrando arnyn nhw, yn rhoi sylw priodol iddyn nhw yn allweddol i ddysgu effeithiol.

Materion i'w hystyried

- Pa ystyriaethau moesol sydd i arbrofion megis arbrawf Bandura yn defnyddio'r ddol Bobo?

- A oes modd i ni wybod, mewn gwirionedd, sut mae plant yn dysgu unrhyw beth? A allwn ni osod patrwm pendant neu gamau pendant i'r dysgu hwnnw sy'n addas i bob plentyn, ym mhob oes, ac ym mhob man?

- Ydy'r profiad o blentyndod yr un peth ym mhob man i bob plentyn? Ystyriwch, er enghraifft, yr arfer o dalu a phrynu. Sut mae talu a phrynu wedi newid dros amser?

- Beth fydd y camau nesaf wrth ymestyn ein gwybodaeth am ddysgu plant ifainc? Beth fydd yn atal a beth fydd yn cynorthwyo'r datblygiadau hyn?

Pennod 9

Ymarfer, darpariaeth a mythau
Cyfraniad merched i addysg blynyddoedd cynnar

Pennod 9

Ymarfer, darpariaeth a mythau: Cyfraniad merched i addysg blynyddoedd cynnar

Siân Wyn Siencyn

Gellir dadlau mai maes dynion yw seicoleg gyfoes. Bu dylanwad a chyfraniad y cewri megis Piaget, Vygotsky, Bruner, ac yn y blaen mor gryf nes bod perygl i ni anghofio am gyfraniad allweddol menywod i'r maes. Efallai bod gan y menywod fwy o ddiddordeb mewn realiti bydoedd plant a'r ffordd orau o ddarparu ar gyfer plant nag mewn ymchwil a damcaniaethau. Wrth gwrs, ceir eithriadau disglair a bydd y bennod hon yn cyfeirio atyn nhw.

Byddai modd honni bod cyfraniad dynion mor amlwg gan mai nhw a luniodd y maes yn y lle cyntaf. Pa ddisgwyl i ferched eu hamlygu eu hunain mewn meysydd lle nad oedd ganddyn nhw unrhyw rym ac mewn cyfnod lle nad oedd ganddyn nhw ychwaith gyfleoedd i gynnal gyrfa? Er i wraig Piaget hithau fod yn allweddol yn ei waith ac yn un o'i fyfyrwyr mwyaf disglair yn ei hamser, hi oedd gartref yn magu'r plant y bu Piaget mor brysur yn eu hastudio. Mae'r feirniadaeth ffeministaidd o ymlyniad maes astudiaethau plant ifainc i fframweithiau a gwerthoedd a osodwyd gan ddynion yn un ddigon heriol a diddorol. Gwelir, er enghraifft, MacNaughton (2005) yn ei gwaith hi'n dadlau o blaid y farn arall, yr olwg amgen ar y maes a hynny o dan ddylanwad Foucault ac athronwyr ôl- strwythurol (*poststructuralist*) eraill. Sut mae modd, meddai MacNaughton, i ni gymeradwyo uniongrededd patriarchaidd Piaget a'i linach pan fo merched mor allweddol ym mywydau plant ifainc? Pen draw naturiol y fframwaith ôl-strwythurol hwn yw awgrymu mai safbwynt benywaidd yw'r unig un dilys. Merched sy'n cario babanod cyn eu geni, merched sy'n esgor arnyn nhw, merched sy'n eu bwydo. Merched, yn draddodiadol, sy'n gweithredu fel bydwragedd, nyrsys, ymwelyddion iechyd, gweithwyr mewn meithrinfeydd ac ysgolion meithrin. Mae merched yn holl bresennol ym mywydau plant bach. Felly dylid gweld eu cyfraniad i athroniaeth ac ymarfer addysg blynyddoedd cynnar lawn cyn bwysiced, os nad yn fwy pwysig, na chyfraniad seicolegwyr o ddynion - a'r rheini, fel y byddai MacNaughton a'i chwiorydd yn awgrymu, yn ddynion gwyn Ewropeaidd â golwg go gyfyng ar y byd. Mae'r athroniaeth hon yn un heriol, astrus a chwbl angenrheidiol er mwyn cynnal y drafodaeth ymhellach.

Roedd **Maria Montessori (1870 - 1952)** yn fenyw o flaen ei hamser mewn sawl fford. Fe'i ganed yn unig blentyn i deulu cyffordds ei fyd yn yr Eidal a chafodd addysg dda, peth digon anghyffredin i ferched yr adeg honno. Astudiodd feddygaeth a hi, yn wir, oedd meddyg benywaidd cyntaf yr Eidal. Wedi arbenigo mewn paediatreg, datblygodd diddordeb mawr Maria Montessori mewn plant anghenus, plant roedd eraill yn credu nad oedd modd dysgu unrhyw beth iddyn nhw. Wrth arsylwi'n ofalus ar ymateb y plant i'w dulliau hi, datblygodd ei diddordeb yn y potensial i ddysgu a oedd yn y plant ifainc yma - plant tlawd iawn ac amddifad o gyfleoedd addysg. Daeth Montessori i'r casgliad nad problemau cynhenid yn y plant a oedd yn eu hatal rhag dysgu ond, yn hytrach, ddulliau addysgu anaddas yr oedolion.

Sefydlodd Montessori gartref i blant, yr enwog Casa dei Bambini, mewn ardal ddifreintiedig iawn o Rufain. Sylwodd Montessori ar y newid mawr yn y plant pan gawson nhw wrthrychau i chwarae â nhw. Roedd y plant yn dangos diddordeb, yn chwilfrydig, ac yn ymddangos fel petaen nhw'n dysgu. Yn lle plant diflas a mewnblyg, gwelwyd plant effro a mwy bywiog a hynny'n unig am eu bod yn cael offer a theganau syml i chwarae â nhw. Bu dulliau Montessori yn llwyddiannus iawn a lledaenodd ei syniadau dros y byd. Cyhoeddwyd ei llyfr arloesol *The Montessori Method* yn Saesneg ym 1912 a bu gwerthu mawr ar y gyfrol. Daeth i Lundain ym 1919 a chafodd groeso brwd gyda thyrfaoedd yn aros amdani ym mhob man.

Pwysleisiodd Maria Montessori bwysigrwydd arsylwi a datblygodd ddull o weithio gyda phlant ifainc yn seiliedig ar ei gwaith gyda phlant â'r hyn a fyddai bellach yn cael ei alw'n anghenion addysgol arbennig neu anghenion addysgol ychwanegol. Datblygodd amrywiaeth o adnoddau a oedd yn cefnogi dysgu plant drwy gyfrwng gweithgareddau wedi eu graddoli a'u strwythuro'n ofalus.

Swyddogaeth yr addysgwr yn nhraddodiad Montessori yw arwain dysgu'r plentyn yn hytrach na'i gyfeirio, a phwysleisir pwysigrwydd trefn arferol a defnyddio'r synhwyrau. Gellir gweld dylanwad dull Montessori ar ffurf yr adnoddau maint plentyn (cadeiriau a byrddau bychain er enghraifft) a'r gweithgareddau gwahaniaethol a ddefnyddir ym mhob ysgol, nid yn unig yn yr Ysgolion Montessori penodol (sy'n boblogaidd iawn yn y sector preifat).

Credai Montessori fod ei dulliau hi o addysgu plant ifainc wedi eu sylfaenu ar arsylwadau gwyddonol. Iddi hi, roedd amgylchedd y dysgu'n bwysig tu hwnt. Credai hefyd mewn trefn a thaclusrwydd gan fynnu, yr un pryd, bod deunyddiau ac offer ar gael yn rhwydd i blant. Drwy sicrhau amgylchedd deniadol a chymen, byddai plant, meddai, yn dod i werthfawrogi'r esthetig a'r trefnus fel elfennau allweddol i fywyd da. Drwy'r synhwyrau, meddai, y mae plant yn dysgu orau. Rhaid felly wrth amgylchedd sy'n llawn seiniau a sain, arogleuon, deunyddiau o ansawdd amrywiol, pethau i edrych, arsylwi a syllu arnyn nhw – a'r rheini i gyd, yn eu hanfod, yn brydferth a difyr.

Un agwedd arall arwyddocaol ar ei hathroniaeth oedd pwysigrwydd annibyniaeth plant. Po fwyaf fydd oedolion yn ymyrryd yng ngweithgaredd plant, arafaf fydd dysgu'r plant. Mae gan blant, meddai, ddiddordeb angerddol mewn gwaith go iawn. A byddai unrhyw un sydd wedi bod yng nghwmni plant bach wrth iddyn nhw fynd ynglŷn â bywyd bob dydd - yn golchi car, yn paratoi llysiau, yn newid plwg trydan, yn garddio - yn gwybod ei bod hi'n well gan blentyn bach 'helpu' gyda'r dasg na chwarae â theganau.

…nid yr hyn mae'r athro yn ei roi yw addysg; proses naturiol yw addysg sy'n cael ei chynnal gan yr unigolyn, a chaiff ei chaffael nid drwy wrando ar eiriau ond drwy brofiadau yn yr amgylchedd. Gwaith yr athro yw paratoi cyfres o gymhelliannau diwylliannol, wedi eu hymestyn dros amgylchedd sydd wedi ei baratoi'n benodol, ac yna ymatal rhag ymyrraeth amlwg. Ni all athrawon dynol ond cynorthwyo yn y gwaith mawr sy'n digwydd, megis gweision yn cynorthwyo'r meistr.

…education is not what the teacher gives; education is a natural process spontaneously carried out by the human individual, and is acquired not by listening to words but by experiences upon the environment. The task of the teacher becomes that of preparing a series of motives of cultural activity, spread over a specially prepared environment, and then refraining from obtrusive interference. Human teachers can only help the great work that is being done, as servants help the master.

(O Maria Montessori, *Education for a New World*:
http://www.montessori.edu/maria.html)

Cafodd Montessori ddylanwad mawr ar ymarfer blynyddoedd cynnar ac ar sut roedd y dosbarth meithrin yn edrych. Pan agorodd ei hysgol gyntaf ym 1907, roedd ei syniadau yn rhai radical iawn. Hi, er enghraifft, oedd yn gyfrifol am drefnu plant mewn grwpiau ar fyrddau bychain yn hytrach na mewn rhesi. Nid oedd celfi maint plant yn gyffredin, arferai plant eistedd ar feinciau neu gadeiriau maint oedolion. Erbyn hyn, wrth gwrs, mae'n arferol gweld darpariaeth blynyddoedd cynnar gyda deunyddiau megis offer llaw, llestri, cyllyll a ffyrc ac yn y blaen wedi'u cynhyrchu'n benodol i blant. Montessori oedd yn gyfrifol am y weledigaeth honno. At hynny, roedd Montessori o'r farn ei bod yn bwysig iawn fod yr offer, megis morthwylion, llifiau, a sisyrnau yn rhai a oedd yn gweithio go iawn. Ni fyddai wedi cymeradwyo'r holl offer a theganau plastig sy'n britho dosbarthiadau meithrin a siopau teganau erbyn hyn.

Y feirniadaeth lemaf ar athroniaeth addysgol Montessori oedd ei phwyslais ar rôl yr oedolyn wrth lywio a strwythuro chwarae plant. Nid oedd, fel Froebel o'i blaen, yn credu bod gan chwarae ffantasi a chwarae dychmygus swyddogaeth bwysig yn natblygiad y plentyn ifanc (Kalliala, 2006: 137).

Parhawyd â'r cysylltiad rhwng sosialaeth, addysg a gofal yng ngwaith y chwiorydd McMillan. Datblygodd **Margaret McMillan (1860-1931)** a'i chwaer **Rachel McMillian (1859-1917)** syniadau Froebel a Pestalozzi am addysg amgylcheddol a chychwyn y 'feithrinfa tu allan' sydd gymaint mewn bri heddiw. Roeddynt ill dwy'n wleidyddol iawn ac yn perthyn i nifer o fudiadau a oedd yn hybu eu hegwyddorion Cristnogol Sosialaidd – yn wir buon nhw'n cyfrannu'n gyson i gylchgrawn radicalaidd y cyfnod o'r enw'r *Christian Socialist*. Safodd

Margaret fel ymgeisydd y Blaid Lafur Annibynnol (*Independent Labour Party* neu'r ILP) ar gyfer Bwrdd Addysg Bradford a chafodd ei hethol i'r Bwrdd ym 1894. Ysgrifennodd nifer o lyfrau a thaflenni yn ystod y cyfnod yma yn cynnwys *Child Labour and the Half Time System* (1896) ac *Early Childhood* (1900).
(http://www.electricscotland.com/history/women/wh31.htm)

Roedd y berthynas rhwng addysg ac iechyd yn gonglfaen i athroniaeth y chwiorydd McMillan. Buon nhw'n brwydro am glinigau iechyd, ysgolion ag awyru da gan gydnabod bod angen i blant fod yn hapus, iach a chysurus er mwyn dysgu.

Wrth gynllunio ei hysgol feithrin gyntaf ym 1917 roedd Margaret McMillan yn ymwrthod â chynlluniau a phensaernïaeth ysgolion y cyfnod. Roedd ganddi, yn hytrach, ddiddordeb mewn defnyddio gofod mewn ffordd fwy creadigol a mwy cartrefol - cafwyd cynllun a oedd yn golygu bod drysau'r dosbarthiadau i gyd yn agor allan ar yr ardd. Mae MacNaughton (2006: 108) yn amlinellu syniadau pwysig y chwiorydd McMillan fel hyn:

- Mae lles emosiynol y plentyn cyn bwysiced â lles corfforol.

- Mae'n bwysig iawn cynnwys rhieni yn narpariaeth addysg a gofal eu plant.

- Mae profiadau yn yr awyr agored gyda deunyddiau penagored (*open-ended*) yn hyrwyddo datblygiad iach y plentyn bach.

- Caiff datblygiad plant ei hybu pan fyddant yn cael eu hannog i'w mynegi eu hunain drwy gelf.

Tra oedd Margaret McMillan yn gweithredu yn ôl credoau gwleidyddol a chymdeithasol cryf, ysgrifennu ac ymgyrchu a wnaeth **Susan Isaacs (1885-1948).** Enillodd radd mewn athroniaeth o Brifysgol Manceinion ym 1912 ac wedi cyfnod yn darlithio, fe'i penodwyd yn bennaeth ysgol Malting House yng Nghaergrawnt. Roedd Malting House yn ysgol arbrofol iawn ac, o dan ei harweiniad hi, daeth chwarae a rôl chwarae yn y broses ddysgu yn ganolog i'r gwaith yno. Hyfforddodd Isaacs fel seicdreiddydd (*psychoanalyst*), maes newydd yr adeg honno oedd yn drwm o dan ddylanwad dysgeidiaeth Freud. Ym 1933 daeth yn bennaeth cyntaf ar Adran Ddatblygiad Plant, Sefydliad Addysg, Prifysgol Llundain gan sefydlu datblygiad plant yn faes allweddol yn y cyrsiau hyfforddi athrawon.

Yn y Maltings School, roedd Isaacs yn arsylwi'n ofalus ac yn fanwl iawn ar ymddygiad plant, ar eu chwarae ac ar eu sgwrsio. Cadwodd gofnodion gofalus iawn. Ond mae Drummond yn awgrymu nad yr arsylwadau manwl yn unig sydd o ddiddordeb ac sydd wedi bod mor ddylanwadol ond yn hytrach y sylwebaeth seicdreiddiol sy'n cyd-fynd â'r arsylwadau hynny (Drummond, 2000).

Dylanwad Susan Isaacs ar Y Cyfnod Sylfaen 3 – 7 oed yng Nghymru

Heddiw mae'r ysgol yn lladd diddordeb plant yn fwriadol…ac mae'n addoli'r dulliau ffurfiol o ddysgu… Mae anghyfartaledd mawr rhwng yr amser a'r drafferth a roddir i ddysgu plant i ddarllen ac i ysgrifennu'n rhy gynnar a'n pryder am ddefnyddio'r pethau hyn go iawn i wasanaethu bywyd personol a chymdeithasol.

Today the school deliberately deadens [children's] interest….and idolatorises the formal tools of learning…There is an extraordinary disproportion between the time and trouble put into teaching children to read and write at far too early an age and our concern with the real use of these things to serve personal and social life.

(Isaacs yn Gardener, 1969: 66)

O'i chyfnod yn y Maltings School, datblygodd diddordeb Isaacs ym mywyd mewnol y plentyn bach - sut bydd plant ifainc yn ymdrin ag ymddygiad ymosodol. Daeth hi i gredu bod gan blant ifainc ystod o emosiynau grymus a chymhleth, er enghraifft: cariad a chasineb, ymdeimlad o rym a diffyg grym, ennill a cholli. Rhoddai Isaacs werth ar chwarae fel gwaith plant a phwysleisiodd ei bwysigrwydd wrth ddarparu cyfrwng y gallai plant eu mynegi eu hunain drwyddo. Byddai plant, meddai, yn eu chwarae, yn dysgu i fyw yn y byd allanol ac yn eu byd mewnol, fel petaen nhw'n addasu realiti yn eu ffantasi. Gwelai Isaacs chwarae dychmygus yn bont rhwng y byd mewnol a'r byd allanol. Yn ei chwarae, bydd y plentyn yn datblygu ymdeimlad am realiti'r byd, ei reolau gwyddonol, a datblygiad rheswm.

Dechreuodd hi amau rhagdybiaethau a damcaniaethau Piaget. Gwelodd fod rhai plant yn symud yn gyflym iawn drwy rai o'r camau deallusol roedd Piaget wedi eu hamlinellu ac yn gynt o lawer nag yr oedd ef wedi credu oedd yn bosibl. Daeth ei gwaith mawr hi, sef *Intellectual Growth in Young Children* (1930) and *Social Development of Young Children* (1933) o ganlyniad i'w chyfnod yn y Maltings.

Susan Isaacs

Susan Isaacs oedd y seithfed o naw o blant. Bu farw ei brawd pan oedd hi yn 7 mis oed. Pan oedd Isaacs yn 4 oed trawyd ei mam yn wael a bu farw ddwy flynedd yn ddiweddarach. Soniodd Isaacs wrth Dorothy Gardener, myfyriwr iddi a'i chofiannydd, am y tro olaf iddi weld ei mam. A hithau ond yn blentyn bychan iawn, dywedodd wrth ei mam, a oedd yn wael iawn, gyda diniweidrwydd plentyn, bod ei thad a nyrs ei mam yn agos iawn. Roedd ei mam, yn ddigon naturiol, yn anhapus iawn o glywed hyn ac aethpwyd â'r Susan ifanc allan o'r ystafell. Welodd hi erioed mo'i mam eto. Ymhen amser, priododd tad Susan â'i nyrs. Perthynas bur anodd oedd rhwng Susan, ei thad a'i llysfam.

Ai dyma, tybed, pam roedd gan Susan Isaacs gymaint o ddiddordeb mewn damcaniaethau seico-dadansoddol?

167

Er nad yw **Caroline Pratt** yn enw cyfarwydd iawn erbyn hyn, mae ei dylanwad yn bellgyrhaeddol. Yn athrawes ifanc yn Efrog Newydd ym 1914, roedd hi'n rhwystredig iawn gyda'r drefn addysgol a oedd, yn ei thyb hi, yn llawer rhy ffurfiol a gormesol. Roedd hi am ddatblygu chwarae penagored gan ei bod yn credu bod rhinweddau addysgol arbennig yn perthyn i'r math yma o chwarae. Dan ddylanwad syniadau Froebel, penderfynodd Caroline Pratt sefydlu ysgol er mwyn ymestyn ei syniadau a dyna gychwyn y City and County School ar gyfer plant 2 - 7 oed yn Greenwich Village, Efrog Newydd. Ei chyfraniad mwyaf dylanwadol oedd ei chynllun ar gyfer blociau pren uned (*unit blocks*). Erbyn hyn mae chwarae blociau'n gyffredin ac i Caroline Pratt y mae'r diolch am hyn. Hi welodd eu pwysigrwydd o safbwynt y posibiliadau dysgu diddiwedd a ddaw o'r math yma o chwarae. Un o rinweddau mawr chwarae blociau yw nad oes modd methu. Nid oes ffordd gywir nac anghywir ac mae'r posibiliadau'n ddiddiwedd. Mae'n arwain pob plentyn, yn y pendraw, i lwyddiant.

Diolch i Community Playthings am y llun.

Anna Freud (1896-1982) oedd plentyn ieuengaf Sigmund a Martha Freud. Roedd ei thad yn ddylanwad mawr ar ei ferch ac yntau'n sylfaenydd seicdreiddiad neu seicoddadansoddi *(psychoanalysis)*. Diddordeb mawr Anna Freud oedd dadansoddi plant a sefydlodd ei phractis ei hun ym 1923 yn Fiena. Symudodd Anna Freud gyda'i thad, a oedd erbyn hyn yn wael iawn (bu farw ym 1939), i Lundain ym 1938 er mwyn dianc rhag y Natsïaid. Yn Llundain, sefydlodd Anna Freud bractis newydd a bu'n darlithio ar seicoleg plant. Aeth ymlaen i sefydlu'r Hampstead War Nurseries yn ystod y 1940au cynnar a oedd yn gofalu am dros 80 o blant. Ar ôl y rhyfel, daeth grŵp o blant amddifad o un o wersylloedd erchyll y Natsïaid i ofal un o gartrefi Anna Freud. Cafwyd cyfle, yr adeg honno, i astudio'r ffordd yr oedd y plant hyn yn sefydlu perthynas ag eraill ac ysgrifennodd Anna Freud am ei harsylwadau a'i gwaith dadansoddol. Datblygodd ei dylanwad yn dilyn sefydlu'r Hampstead Child Therapy clinic ym 1954 a'r cyrsiau a oedd ynghlwm wrth y ganolfan. Erbyn hynny, hi oedd yn gyfrifol am hyfforddi'r rhan fwyaf o seicotherapyddion plant yn Lloegr ac yn yr Unol Daleithiau. Roedd ganddi ddiddordeb arbennig mewn gweithio gyda phlant a oedd wedi eu hamddifadu o swcwr emosiynol a phlant a oedd dan anfantais cymdeithasol. Bu'n ddylanwad mawr ar John Bowlby a oedd wedi datblygu damcaniaethau allweddol yn ymwneud ag ymlyniad *(attachment theory)* a phwysigrwydd bondio emosiynol rhwng mam a'i baban. hptt://www.freud.org.uk/fmanna.htm>)

Daeth Anna Freud o dan ddylanwad **Melanie Klein (1882 - 1960)**, hithau wedi ymsefydlu yn Llundain ym 1926. Mae Klein yn enwog am ei gwaith arloesol fel seicdreiddydd plant a oedd yn cynnig golwg newydd ar fywyd emosiynol a mewnol plant ifainc a babanod. Datblygodd ei syniadau i greu maes newydd o seicotherapi fel dull o hyrwyddo iechyd meddwl plant ifainc, yn enwedig plant a oedd wedi dioddef trawma. Rhan bwysig o'i gwaith oedd y defnydd o deganau a deunyddiau (doliau, anifeiliaid bach, clai, pensiliau ac yn y blaen). Wrth wylio plant a oedd yn cael trafferthion mawr yn eu bywydau wrthi'n chwarae, byddai Klein yn dehongli'r chwarae ac yn dadansoddi anghenion y plant. Daeth hi i gredu bod rhieni, neu gynrychioliadau o rieni *(parental figures)* yn arwyddocaol ym mywydau ffantasïol plant ifainc. Gwelir dylanwad Melanie Klein heddiw ym maes therapi chwarae a therapïau tebyg sy'n cynorthwyo plant ifainc i wynebu profiadau anodd a thrawmatig.

Er iddyn nhw weithio yn yr un maes, roedd cryn anghytuno rhwng Anna Freud a Melanie Klein yn bennaf ar faterion cymhleth iawn yn ymwneud â chysyniadau astrus damcaniaethau seicdreiddiol. Dadleuon sy'n anodd iawn i'r lleygwr eu hamgyffred!

Albanes yw **Margaret Donaldson (1926 -)** ac mae ei gwaith hi fel seicolegydd wedi herio damcaniaethau Jean Piaget. Bu Donaldson yn fyfyriwr ymchwil gyda Piaget yn y Swistir a bu'n astudio hefyd gyda Jerome Bruner ym Mhrifysgol Harvard. Roedd ganddi ddiddordeb yn y casgliadau y daw plant iddyn nhw ac yn arbennig felly gasgliadau plant ynghylch eu gwerth eu hunain a'u canfyddiadau ynghylch eu sgiliau a'u galluoedd. Dywed David (2006) fel hyn amdani:

Awgrymodd Donaldson mai'r gweithgareddau yn yr ysgol sy'n achosi plant i fethu'n 'anafus' yw'r rhai sy'n graidd i'r cwricwlwm traddodiadol – llythrennedd a rhifedd.

Donaldson suggested that the school activities which can cause children to fail 'woundingly' are those that form the core of the traditional curriculum – literacy and numeracy.

(David, 2006:12)

Damcaniaeth Donaldson yw'r cysyniad o feddwl sefydlog (*embedded)* a dadsefydlog (*disembedded)*. Sail y cysyniad hwn yw dealltwriaeth o ddamcaniaethau Piaget am ego-ganolrwydd (*egocentrism)* plant ifainc, sef anallu'r plentyn ifanc, yn ôl Piaget, i weld y byd o safbwynt rhywun arall. Yn ei lyfr dylanwadol *Children's Minds,* mae Donaldson yn cynnig gwrthbwynt i arbrawf enwog Piaget, y tri mynydd, a oedd, yn ôl Piaget, yn profi nad oedd modd i'r plentyn bach weld safbwynt gwahanol i'w safbwynt ei hun. Yn nhasg Donaldson, mae tair dol - dau blismon ac un bachgen bach – yn lle tri mynydd. Gofynnir i'r plentyn guddio'r bachgen bach y tu mewn i gyfres o waliau fel nad yw'n bosibl i'r plismyn ei weld. Er mwyn cyflawni'r dasg, mae'n rhaid i'r plentyn anwybyddu ei safbwynt ei hun, yr hyn y mae ef yn ei weld, a chymryd golwg ehangach ar wahanol safbwyntiau'r plismyn esgus. Darganfu fod plant mor ifanc â thair a phedair blwydd oed yn medru cyflawni'r dasg heb fawr o drafferth. Dyma, meddai Donaldson, yw'r gwahaniaeth rhwng meddwl sefydlog a meddwl dadsefydlog. Yn nhasg y plismyn, mae bwriad a chymhelliant yn amlwg a gellir eu deall. Mae'r dasg wedi ei sefydlu mewn cyd-destun rhesymegol. Ar y llaw arall, nid yw tasg y tri mynydd wedi ei sefydlu mewn rhesymeg na chyd-destun ac mae felly'n ddad-sefydlog. Nid yw'n syndod felly fod plant ifainc yn methu ei chyflawni.

Y gwahaniaeth hwn rhwng meddwl sefydlog a dad-sefydlog yw, efallai, y syniad mwyaf pwysig yn *Children's Minds.* Mae hefyd yn wahaniaeth sydd o bwysigrwydd allweddol er mwyn deall pam mae cymaint o blant yn cael anawsterau yn yr ysgol.

This distinction between embedded and disembedded thinking is perhaps the single most important idea in 'Children's Minds'. It is also a distinction which is of crucial importance in understanding why so many children have difficulty in school.

(Palmer, 2001:177)

Ymchwilydd dyfeisgar a dylanwadol yw **Chris Athey (1924 -).** Ei gwaith mawr yw ei hastudiaeth ddadansoddol fanwl o 5000 o arsylwadau a wnaed ganddi ar blant ifainc 2 - 5 oed. Mae ei llyfr *Extending Thought in Young Children: A parent-teacher partnership* (1990) eisoes wedi ennill ei le fel tipyn o glasur. Dangosodd Athey fod plant ifainc iawn yn medru canolbwyntio am gyfnodau hirion ac nad ydyn nhw yn gwibio o un gweithgaredd i'r llall yn ddifeddwl. Datblygodd cysyniad Piaget o sgemau (*schemas)* i esbonio ymddygiad a chwarae plant ifainc. Patrymau ymddygiad yw sgemâu sy'n ymddangos yn gyson yn rhan o chwarae plant ifainc.

> Patrymau o weithrediadau sy'n cael eu hailadrodd yw sgemâu sy'n arwain at gategorïau cynnar ac yna at ddosbarthiadau rhesymegol.

> *Schemas are patterns of repeatable actions that lead to early categories and then logical classifications.*
>
> (Athey, 1990: 36)

Dywed Arnold fod plant ifainc yn defnyddio'r gweithrediadau ailadroddus hyn er mwyn chwilio am debygolrwydd (*to search for commonalities)* (Arnold, 2005:25). Aiff Arnold ymlaen:

> ...bydd diddordeb mewn 'dannedd cam', 'grisiau', a'r llythyren 'W' yn dangos bod gan y plentyn ddiddordeb mewn ffurfiau igam-ogam, efallai eu bod yn cael eu denu at 'stegosaurus', 'coron brenin', a 'llif'. Mae adnabod hyn yn cynnig cliwiau i rieni a gweithwyr ynghylch sut i ymestyn dysgu'r plentyn drwy'r 'ffurf' yn ogystal â thrwy'r 'cynnwys'.

> *...an interest in 'jagged teeth', 'stairs', and the letter 'W' demonstrates a child's interest in the zig-zag form; they might also be drawn to 'stegosaurus', 'a king's crown', and 'a saw'. Identifying this provides clues for parents and workers about how to extend their learning through the 'form' as well as the 'content'.*
>
> (Arnold, 2005:25)

Engreifftiau o rai mathau o sgemau

gemau	Mathau posibl o ymddygiad	Teganau, adnoddau
Cludo (Transporting)	Cario blociau o un lle i'r llall mewn bag, cludo tywod mewn bwced o'r cafn tywod i'r tŷ bach twt, gwthio plentyn arall mewn pram	Bagiau siopau Bygis Troliau
Amgylchynu (Enveloping)	Cuddio o dan garthen neu glwtyn ymolchi tra bydd yn y bath, gorchuddio doliau a theganau mewn carthenni, gorchuddio paentiad ag un lliw	Deniau Unrhyw beth mewn bocs Amlenni Gwisgo i fyny Rapio 'anrhegion'
Tafl-lwybr Lletraws/ Fertigol Gorweddol (Trajectory; Diagonal/ Vertical/Horiztal)	Gollwng pethau o'r cot, creu llinellau neu fwâu (arcs) â'r dwylo mewn bwyd, chwarae â dŵr sy'n llifo, dringo i fyny ac i lawr celfi, gosod ceir bach mewn llinell, cicio a thaflu peli.	Gêmau taflu Gwaith coed Pêl droed Dŵr sy'n llifo Offeryn taro (percussion)
Cylchdroad (Rotation)	Diddordeb mewn peiriannau golchi, unrhyw beth ag olwynion, rolio i lawr bryn, troelli a chwyrlïo, mwynhau cael ei droi o gwmpas.	Gêmau cylch Olwynion Cylchfannau Topiau sy'n chwyrlïo Caleidoscopiau
Cysylltiad (Connection)	Dosbarthu a chasglu gwrthrychau, cysylltu traciau trên, ymestyn tâp neu selotep (er enghraifft i gysylltu cadair wrth fwrdd)	Traciau trên Adeiladu Llinyn Selotep
Trawsnewid (Transforming)	Ychwanegu sudd at y tato stwnsh, tywod i'r cafn dŵr, mwynhau ychwanegu lliw at ddŵr neu wneud toes.	Cymysgu paent Creu toes

Mae cofnod diddorol iawn o waith Meade a'i chyd-ymchwilwyr o Seland Newydd ar brosiect Plant Hyfedrus (Competent Children Project) sy'n amlinelliad ardderchog o oedolion yn dysgu drwy arsylwi ar sgemâu plant ifainc ar <http://www.nzcer.org.nz/pdfs/1363.pdf>.

Dengys gwaith Athey bwysigrwydd arsylwadau manwl a gofalus ar ymddygiad a chwarae plant ifainc. Rhaid wrth wybodaeth gadarn o ymchwil a damcaniaeth er mwyn dehongli'r hyn y byddwn yn ei arsylwi arno ac wedyn rhaid wrth ddyfeisgarwch deallusol er mwyn gweld rheswm a rhesymeg yn y chwarae.

Mae **Lilian Katz (1932 -)** wedi cyfrannu'n helaeth at addysg blynyddoedd cynnar dros ddegawdau fel academydd yn yr Unol Daleithiau, er mai yn Lloegr y'i ganed a'i maged. Maes arbennig ei diddordeb yw hyfforddiant athrawon a gweithwyr blynyddoedd cynnar ac mae ei chyfrol *Engaging Children's Minds: The Project Approach* (1983) yn parhau yn ddylanwadol. Sail y syniadau hyn yw gwerth prosiectau, a rheini'n ymwneud ag astudiaethau o faterion bob-dydd, fel sail i ddatblygiad cymdeithasol plant ifainc. Drwy sgwrsio am eu cymunedau - stadau tai, heolydd, parciau, coed, tai, ceir, anifeiliaid, pobl - bydd plant yn dod i ddealltwriaeth ddyfnach o'i byd. Mae Katz hefyd wedi bod yn daer ei neges ynghylch y rheidrwydd i weithwyr blynyddoedd cynnar ymroi i'w datblygiad eu hunain a hynny drwy weld astudiaeth a dysg fel ymrwymiad gydol oes. Mae ei hymroddiad i broffesiynoli'r maes wedi bod yn dra arwyddocaol. Katz, yn anad neb, sydd wedi pwysleisio pwysigrwydd anian (*dispositions*) plentyn i ddysgu fel allwedd i ddysgu llwyddiannus. Yn dilyn ymweliad â Reggio Emilia ym 1991, mae Katz wedi bod yn lladmerydd huawdl a brwd o blaid yr ymagwedd hon at ddysgu plant ifainc. Mae hi wedi ysgrifennu'n helaeth ar destunau Reggio megis dogfennu a chreadigedd. Roedd Lillian Katz yn un o sylfaenwyr yr ERIC Clearinghouse on Elementary and Early Childhood Education (ERIC/EECE) sydd, erbyn hyn, yn un o adnoddau ar-lein pwysicaf i'r rhai hynny sy'n ymwneud o ddifrif ag addysg blynyddoedd cynnar (www.ericdigests.org/>).

Athro addysg blynyddoedd cynnar ym Mhrifysgol Melbourne yw **Glenda MacNaughton,** ac mae hi yn ysgwyd y maes gyda'i chwestiynau radical ynghylch natur grym mewn darpariaeth i blant ifainc. Yn drwm dan ddylanwad athroniaeth ôl-strwythurol Foucault, yr athronydd o Ffrainc, mae hi'n mynd â'r maes yn ôl at y cychwyn fel petai gan edrych ar y plentyn yn ei gyd-destun, yn ei deulu, yn ei ddiwylliant. Ei diddordebau mawr ymchwil hi yw dealltwriaeth plant o gydraddoldeb a thegwch, o amrywiaeth ac ymwneud rhieni â darpariaeth i'w plant.

Mae hi wedi datblygu'r astudiaeth achos ymhellach fel dull ymchwil ac mae hi'n ysgogi ymchwil ymarferol a pherthnasol cyffrous iawn sy'n edrych, ar y cyd â phlant a'u teuluoedd brodorol yn Awstralia, ar eu profiadau. Ceir yn ei gwaith gofnod o brosiectau sy'n ymwneud â chyd-adeiladu storïau, er enghraifft astudiaeth adfyfyriol Diana Hetherich ar ei defnydd o ddoliau i herio'r hyn a elwir yn Agwedd Twristiaid (Bredekamp a Copple 1997:131) at ddysgu plant am ddiwylliannau eraill. Dyma'r agwedd at aml-ddiwylliannedd sy'n credu bod dolis duon, coginio reis, a bocs o saris yn gyfystyr â deall a chynnwys diwylliannau gwahanol. Yn y math o waith mae Hetherich yn adrodd amdano, mae partneriaeth rymus rhwng yr athro, y teulu, y plant, a'r gymdeithas ehangach gan ofyn i'r athro fyfyrio'n ddwfn ar ei rôl yn hyrwyddo dysgu plant (MacNaughton 2005: 315).

Bu rôl **Carla Rinaldi** yn allweddol yn bennaf fel dehonglydd a hyrwyddwr gweledigaeth Loris Malaguzzi, sef sylfaenydd y drefn addysg blynyddoedd cynnar enwog yn Reggio Emilia yng ngogledd yr Eidal. Wrth drafod gwaith Rinaldi a Reggio Emilia, dywed Moss (2005) mewn beirniadaeth lem ar ein harferion Anglo-Americanaidd ni:

> Caiff llawer o waith blynyddoedd cynnar yn y byd Saesneg, yn cynnwys Prydain, ei ddominyddu gan un gred ganolog: bod modd ac y dylid adnabod set bendant a diamod o ganlyniadau ar gyfer plant ifainc, y technolegau gorau er mwyn cyrraedd y canlyniadau hyn, a dulliau o asesu cyrhaeddiad plant mewn perthynas â'r canlyniadau. Caiff sicrwydd, llinoledd, gwrthrychedd, ac un ateb cywir i bob cwestiwn eu gwerthfawrogi'n fawr.

> *Much early childhood work in the English-speaking world, including Britain, is dominated by a central idea: that we can and should identify a definitive set of outcomes for young children, the best technologies to achieve them, and methods to assess children's attainment of these outcomes. Certainty, linearity, objectivity, and one right answer for every question are highly valued.*

(Moss, 2005: 26)

Mae'r gwrthwyneb yn wir i Rinaldi ac yn nhraddodiad Reggio Emilia. Nid rhywbeth wedi'i sefydlu yw cwricwlwm ond, yn hytrach, rhywbeth sy'n esblygu wrth i oedolion a phlant gyd-adeiladu gwybodaeth ac ymestyn eu dysgu. Gelwir y broses hon yn gwricwlwm esblygol (*emergent curriculum*). Mae hi'n esbonio fel hyn:

> Mae'r athrawon yn gosod amcanion addysgol cyffredinol, ond nid ydyn nhw'n llunio nodau penodol… ymlaen llaw. Yn hytrach, maen nhw'n llunio rhagdybiaethau ynghylch yr hyn a fedr ddigwydd ar sail eu dealltwriaeth o'r plant ac o brofiadau blaenorol. Ynghyd â'r rhagdybiaethau hyn, byddan nhw'n llunio amcanion sy'n hyblyg ac sy'n addasu i anghenion a diddordebau'r plant.

> *The teachers lay out general educational objectives, but do not formulate the specific goals… in advance. They formulate instead hypotheses of what could happen on the basis of their knowledge of the children and of previous experiences. Along with these hypotheses, they formulate objectives that are flexible and adapt to the needs and interests of the children.*

(Rinald, 1993: 102)

Bu Rinaldi yn allweddol yn datblygu a lledaenu, i wledydd eraill, y dull arbennig sydd i'w weld yn ysgolion Reggio Emilia o gofnodi dysgu plant. Defnyddir llais y plentyn, ffordd y plentyn o gyfathrebu, i gofnodi ei ddysgu a bydd y ddogfennaeth hon (yn dapiau sain, yn sylwadau ar bapur wedi'u nodi gan oedolyn, ffotograffau, clipiau fideo) yn cael eu defnyddio dro ar ôl tro i drafod ei ddysgu gyda'r plentyn ei hun. Nid yw Carla Rinaldi a selogion Reggio Emilia yn cymeradwyo dull y rhestr wirio a thicio blwch i gofnodi cynnydd mewn dysgu plentyn.

Ymestynnwyd syniadau ac arferion Reggio Emilia i Seland Newydd gan ddylanwadu'n fawr ar y rhai a fu'n datblygu Te Whāriki, sef cwricwlwm blynyddoedd cynnar blaengar y wlad honno. Dwy a fu'n allweddol yn hyn yw **Margaret Carr** a **Helen May**. Cafwyd ganddyn nhw hefyd, yn dilyn gweledigaeth Rinaldi a Reggio Emilia, fframwaith hynod ar gyfer cynllunio ac asesu dysgu plant ifainc, sef Storïau Dysgu (*Learning Stories*). Arsylwadau naratif yw'r rhain sy'n dogfennu dysgu'r plentyn mewn mwy o ddyfnder na thrwy arsylwad unigol.

> Gall Storïau Dysgu ddal cymhlethdod dysgu a datblygiad y plentyn… integreiddio'r cymdeithasol gyda'r deallusol a'r affeithiol…a chynnwys llais y plentyn.

> *Learning stories can capture the complexity of the child's learning and development…integrate the social with the cognitive and the affective…and incorporate the child's voice.*
>
> (Carr, 2001: 95)

Mae ymchwil **Helen Penn** o Brifysgol Llundain wedi amlygu gwahaniaethau mawr rhwng plentyndod mewn gwahanol rannau o'r byd. Mae ganddi ddiddordeb arbennig mewn materion megis cyfiawnder cymdeithasol, hawliau plant, tlodi, globaleiddio, anghyfartaledd ac annhegwch a hynny mewn perthynas â darpariaeth i blant a'u profiadau nhw o blentyndod. Ceir beirniadaeth heriol a difyr yn ei dadansoddiadau o fframweithiau ymestyn cymorth i'r Trydydd Byd (neu Byd y Gogledd a Byd y De) ac o gyfraniad yr asiantaethau mawr megis Banc y Byd. Dywed, er enghraifft, parthed yr etifeddiaeth drefedigaethol:

> Mae systemau addysg yn parhau i ymdebygu i'r hyn a sefydlwyd gan eu gweinyddwyr trefedigaethol….yn Swaziland, er enghraifft, gallai'r canllawiau a ddefnyddir i gofrestru meithrinfeydd fod wedi dod yn syth o lawlyfr awdurdod lleol yn Lloegr yn y 1950au - ac mae'n debyg mai dyna'r gwir!

> *Education systems still bear the marks of their colonial administrators…..for instance, in Swaziland, the guidelines still in place for the registration of nurseries might have come out of – and probably did – an English local authority handbook from the 1950s!*
>
> (Penn, 2005: 69)

Mae ei sylwadau ar *'the dominance of English'* yn ddiddorol i ni yng Nghymru:

> Oherwydd yr Unol Daleithiau, mae'r Saesneg wedi dod yn iaith globaleiddio. Mae bron pob iaith dan anfantais o'i chymharu â'r Saesneg. Erbyn hyn, dyma iaith masnach, diplomyddiaeth, cymorth, technoleg ac academia (gwybodaeth). Mae hi wedi cael ei galw'n iaith 'sy'n lladd' gan fod yr holl ieithoedd eraill yn ddarostyngedig iddi. Canlyniad hyn, i'r rhai sy'n byw yn y De, yw bod rhaid iddyn nhw gyfathrebu yn eu hail neu eu trydedd iaith.

> *Because of the USA, English has become the language of globalization. Almost all other languages are at a disadvantage compared with English. It is now the language of trade, diplomacy, aid, technology and academia (knowledge). It has been called a 'killer' language because all other languages are subordinate to it. This also has repercussions for those in the South whose communications must always be through a second or third language.*

(Penn, 2005:11)

Gwendid yn ein golwg ni ar ddatblygiad plant yw ei fod wedi ei gyfyngu cymaint i'r profiad Ewropeaidd ac Americanaidd. Mae traddodiadau eraill sy'n dechrau hawlio llais ehangach: yr hyn a elwir yn ddisgwrs ôl-drefedigaethol. Daw llais brodorion gogledd America (yr Unol Daleithiau a Chanada) â safbwynt arall ac mae gwaith diddorol iawn yn dod o brofiad pobloedd y Cefnfor Tawel (Pacifica) sydd â ffordd arall o edrych ar ddysgu. Er nad plant ifainc yw ei phrif ddiddordeb, mae **Linda Tuhiwai Smith**, academydd ym maes ymchwil addysg sy'n falch o'i threftadaeth Māori, yn herio ffiniau traddodiadol Ewropeaidd o ymchwil gan fynnu bod gan y llais brodorol ei hygrededd cyfreithlon ei hun. Mae hi'n cyfeirio at epistemologau brodorol (*indigenous epistemologies*) (Smith, 1999) sef yr arfer o herio'r paradeims gorllewinol (er enghraifft, llythrennedd yn gysylltiedig â systemau'r wyddor - gwyddor Ewropeaidd neu beidio). Mae'r syniadau hyn, yn eu hanfod yn wleidyddol iawn gan eu bod yn adwaith i ormes hanesyddol a threfedigaethol ar bobloedd brodorol yn Awstralia, America, ac Affrica. Cysylltir y disgwrs hwn â'r ymgyrch am hunaniaeth, annibyniaeth, a chyfiawnder cymdeithasol, diwylliannol, ac ieithyddol.

I gloi

Mae perygl mewn gweld bod traddodiad a damcaniaethau blynyddoedd cynnar yn cael eu dominyddu gan unigolion. Er bod yr holl bobl hyn yn allweddol a'u cyfraniad a'u dylanwad yn fawr, dylid cofio hefyd y fyddin gref o'r hyn a alwodd y bardd mawr Cymraeg Waldo Williams yn 'gwmwl tystion' sef y rhai hynny sydd wedi bod o'n blaenau ni, yn cynnal y weledigaeth a'r gwerthoedd rydym ni yn eu harddel, beth bynnag y bônt. I ni sy'n credu bod plant ifainc yn ddifyr, yn meddu ar sgiliau rhyfeddol, yn ddeallusol fedrus a mentrus, ac yn ddysgwyr o gryn fwriad a dycnwch, mae ein diolch ni i'r 'cwmwl tystion' o fenywod dirifedi (prin iawn yw'r dynion a dyna'r sefyllfa o hyd) sydd, dros y degawdau, wedi ymroi i gynnal cylchoedd meithrin mewn festrïoedd capel a neuaddau pentref ar hyd ac ar led Cymru a hynny am ychydig iawn o dâl - os tâl o gwbl. Yn y traddodiad hwnnw, dros y blynyddoedd, bu gwireddu ac uno dwy genhadaeth arbennig, sef gofalu am blant ac eiriol dros eu lles ac, ar yr un pryd, hyrwyddo a diogelu'r Gymraeg. Dyna ein cyfraniad unigryw ni, y Cymry, i barhad y tradoddiad

Rhai materion i'w hystyried

- Pam nad oes mwy o ddynion i'w gweld mewn gwasanaethau i blant ifainc yng Nghymru? Ydy'r un duedd yn wir am wledydd eraill? Ymchwiliwch i rôl dynion mewn gwasanaethau tebyg yng ngwledydd Sgandinafia.

- Beth yw'r safbwynt ffeministaidd tuag at ddatblygiad plant?

- Oes gweledigaeth a phrofiad unigryw Cymraeg a Chymreig mewn perthynas â phlant ifainc a darpariaeth blynyddoedd cynnar?

- Beth yw'r profiadau rydych chi'n eu cofio o'ch blynyddoedd cynnar: mewn cylch meithrin neu mewn dosbarth derbyn? Sut mae'r rhain yn wahanol i'r hyn mae plant ifainc heddiw yn cael?

Llyfryddiaeth

Awdurdod Cwricwlwm Cymhwysterau ac Asesu Cymru.*Canlyniadau Dymunol i Ddysgu Plant cyn Oed Addysg Orfodol.* Caerdydd; ACCAC, 2000.

Awdurdod Cwricwlwm Cymhwysterau ac Asesu Cymru.*Cyfleoedd cyfartal ac amrywiaeth yn y cwricwlwm ysgol yng Nghymru.* Caerdydd; ACCAC, 2001.

Awdurdod Cwricwlwm Cymhwysterau ac Asesu Cymru. *Y Cyfnod Sylfaen yng Nghymru: Fframwaith drafft ar gyfer Dysgu Plant.* Caerdydd: ACCAC, 2004.

Adroddiad Plowden *Plant a'u Hysgolion Cynradd (Children and their Primary Schools)* London: HMSO, 1967.

Aitchinson, J. & Carter, H. *Spreading the Word: The Welsh Language 2001*, Talybont: Y Lolfa, 2004.

Akhtar, L. *Child Poverty in Wales: Much work to be done.* Caerdydd: Child Poverty Action Group, 2005.

Alderson, P. Children's rights: a new approach to studying childhood, yn Penn H (gol) *Understanding early childhood: ideas and controversies.* Buckingham: Open University Press, 2005.

Alderson, P.*Young Children's Rights: Exploring Beliefs, Principles and Practice.* London: Jessica Kingsley Publishers, 2000.

Ariès, P. *Centuries of Childhood.* London: Jonathan Cape, 1961.

Arnold, C. 'Train of Thought'. *Nursery World*. 24-25. 20.10, 2005.

Baker, C. T*he Care and Education of Young Bilingual: An Introduction for Professionals* Clevedon: Multilingual Matters, 2000.

Bandura, A. *Social learning theory.* Englewood Cliffs, NJ: Prentice Hall, 1977.

Beal, C.R. *Boys and Girls: the Development of Gender Roles.* Newy York: McGraw Hill, 1994.

Berk, L. a Winsler, A. *Scaffolding Children's Learning Vygotsky and Early Childhood Education.* Washington, D.C. National Association for the Education of Young Children's Learning, 1995.

Bern, S.L. 'Genital knowledge and gender constancy in preschool children'. *Child Development,* 60: 649-62, 1989.

Bertram, T. a Pascal, C. 'Early Childhood Practice'. *The Journal for Multi Professional Partners* Volume 7, Number1, 2003.

Bialystok, E. 'Effects of Bilingualism and Biliteracy on Children's Emerging concepts of Print'. *Developmental Psychology*, Vol. 33, No. 3. 1997.

Bossard, J. a Boll, E. *The Sociology of Child Development.* New York: Harper a Row, 1966.

Bowlby J. *Attachment,and Loss* New York: Basic Books, 1969

Bowlby J. *Separation: Anxiety & Anger*. London: Hogarth Press, 1973.

Brannen, J., Heppinstall, E., a Bhopal, L. *Connecting Children: Care and Family Life.* London: Routledge Falmer, 2001.

Brannon, L. *Gender: Psychological Perspectives.* Boston, MA: Allyn & Bacon, 2002.

Bredekamp, S. a Copple, C. *Developmentally Appropriate Practice in Early Childhood Programs.* Washington DC: National Association for the Education of Young Children,1997.

Broadhead, P. *Early Years Play and Learning: Developing Social Skills and Cooperation.* London: Routledge/Falmer, 2004.

Bronfenbrenner, U. *The Ecology of Human Development.* Cambridge MA: Harvard University Press, 1979.

Brown, B. *Unlearning Discrimination in the Early Years.* Stoke on Trent:Trentham Books, 1998.

Bruce, T. a Meggit, C. *Childcare and Education.* London: Hodder and Stoughton, 2001.

Bruer, J. T. *The Myth of the First Three Years A New Understanding of Early Brain Development and Lifelong Learning*. London: The Free Press, 2000.

Bruner, J. *Language Culture Self*. London: Sage Publications, 2000.

Bryman, A. *Social Research Methods*. Oxford: Oxford University Press, 2001.

Buckingham, D. *After the Death of Childhood; Growing Up in the Age of Electronic Media*. London: Policy, 2000.

Bukowski, W., Newcomb, A.F., a Hartup, W. *The Company They Keep: Friendship in Childhood and Adolescence*. Cambridge: Cambridge University Press, 1996.

Bussey, K. a Bandura, A. 'Social cognitive theory of gender development and Differentiation', *Psychological Review*. 106: 676-713, 1999.

Bwrdd yr Iaith Gymraeg. *Iaith mewn Cyfle Cyfartal*. Caerdydd: Bwrdd yr Iaith, 2000.

Campbell, C., 'Conceptualisations and Definitions of Inclusive Schooling' yn Campbell,

C. (gol) *Developing Inclusive Schooling, Perspective, Policies and Practices*. London: Institute of Education, University of London, 2002.

Carr, M. *Learning Stories: Assessment in Early Childhood Settings*. London: Paul Chapman Publishing, 2001.

Chavajay, P. & Rogoff, B. 'Schooling and traditional collaborative social organization of problem solving by Mayan mothers and children'. *Developmental Psychology*, 38, 55-66, 2002.

Chomsky, N. *Aspects of the Theory of Syntax*. Cambridge MA: MIT Press, 1965.

Chorodow, N. *The Reproduction of Mothering: Psychoanalysis and the Sociology of Gender*. Berkley, CA: University of California, 1978.

Christie, D. a Warden, D. *Teaching Social Behaviour Classroom Activities to Foster Children's Interpersonal Awareness*. London: David Fulton, 1997.

Clark, A. a Moss, P. *Listening to Young Children – The Mosaic Approach*. London: National Children's Bureau, 2001.

Clark, M. a Waller, T. (gol). *Early Childhood Care and Education: Policy and Practice*. London: Sage, 2007.

Connell, R.M. *Gender and Power*. Cambridge: Polity Press, 1987.

Connell, R.M. *Masculinities*. Cambridge: Polity Press, 1995.

Corbett, J. *Supporting Inclusive Education: A Connective Pedagogy* London: RoutledgeFalmer, 2001.

Corsaro, W. *The Sociology of Childhood*. London: Sage, 1997.

Cosmides, L., & Tooby, J. 'Cognitive adaptations for social exchange' yn J. Barkow, L.

Cosmides, & J. Tooby (gol.). *The adapted mind*, New York: Oxford University Press, 1992.

Cynulliad Cenedlaethol Cymru. *Y Wlad sy'n Dysgu*. Caerdydd: CCC, 2001.

Cynulliad Cenedlaethol Cymru. *Anghenion Addysgol Arbennig: Cod Ymarfer*. CCC: Caerdydd, 2002.

Cynulliad Cenedlaethol Cymru.*Llawlyfr Arfer Dda ar gyfer Plant ag Anghenion Addysgol Arbennig*. Caerdydd: CCC, 2003.

Cynulliad Cenedlaethol Cymru. *Adolygiad Polis Anghenion Addysgol Arbennig: Rhan 1: Adnabod Cynnar a Chynhnwysiant Cynnar*. Caerdydd: CCC, 2004

David, T. 'Enquiring Minds'. *Nursery World* 12-13. 20.01.,2006.

David, T. 'Learning properly? Young children and the desirable outcomes', *Early Years*, 18 (2): 61-66, 1998.

Davies, A. (gol). *Language Learning In Early Childhood*. London: Heinemann, 1977.

Davies, B. *Frogs and Snails and Feminist Tails*. Sydney: Allen & Unwin, 1989.

Davies, E. *They All Speak English Anyway* Caerdydd: Central Council for Education and Training in Social Care, 2001.

Davies, G. *A light in the land: Christianity in Wales, 200–2000*. Penybont ar Ogwr: Gwasg Bryntirion, 2002.

Dent, N.J.H. *Rousseau : An Introduction to his Psychological, Social, and Political Theory*. Oxford: Blackwell, 1988.

Department for Education and Science: *Starting With Quality* (The Rumbold Report). London: DFES. 1990.

Department of Health. *Lost in Care: Report of the tribunal of inquiry into the abuse of children in the care of the former county council areas of Gwynedd and Clwyd since 1974*. London: DoH, 2000.

Dominelli, L. *Anti-Racist Social Work*. Basingstoke: MacMillan, 1998.

Donaldson, M. *Children's Minds*. London: Fontana, 1976.

Donaldson, M., Grieve, R., a Pratt, C. (gol) *Early Childhood Development and Education. Readings in Psychology*. London: Basil Blackwell, 1983.

Dowling, M. *Young Children's Personal, Social and Emotional Development*. London: Sage Publications, 2000.

Drummond, M.J. 'Comparisons in Early Years Education: history, fact and fiction'. *Early Childhood Research and Practice*. 2 (1) Gwanwyn, 2000.

Drummond, M.J. 'Susan Isaacs: Pioneering Work in Understanding Children's Lives', yn

Hilton, M. & Hirsch, P. (gol) *Practical Visionaries: Women, Education and Social Progress, 1790-1930*. London: Longman, 2000

Dunn, J. *Young Children's Close Relationships: Beyond Attachment*. Newbury Park: Sage, 1999.

Edwards, C., Gandini, L.,. Foreman, G. *The Hundred Languages of Children The Reggio Emilia Approach – Advanced Reflections*. Ablex Publishing, 1998.

Edwards, C., Springate, K. W. *Encouraging Creativity in Early Childhood Classrooms* ERIC Digest. EDO PS 95 14., 1995.

Elkin, F. *The Child and Society: the Process of Socialisation*. New York: Random House, 1960.

Evans, M.E. Adroddiad Estyn. T/255/01P. Caerdydd: Estyn, 2002.

Fagot, B. I. a Hagan, R. 'Observations of parent reactions to sex-stereotyped behaviours'. *Child Development*. 62: 617-28. 1991.

Fausto-Sterling, *Myths of Gender: Biological Theories about Women and Men*. London: Basic Books, 1992.

Ferrier, M. a Fugate, A.M. *The Importance of Friendship for School Age Children*. FCS2207 www.edis.fes.ufl.edu, 2003.

Fox Harding, L. *Perspectives in Child Care Policy*. London: Longman, 1997.

Gaine,C. a George, R. *Gender,'Race' and Class in Schooling:A New Introduction*. London: Falmer Press, 1999.

Gardner, H. *Multiple Intelligences the Theory in Practice*. New York: Basic Books, 1993.

Gardner, H. *Frames of Mind*. New York: Fontana, 1993.

Gelder, G. 'The importance of equal opportunities in the early years' yn Willan, J., Parker – Rees, R., and Savage, J. (gol) *Early Childhood Studies*. Exeter: Learning Matters, 2004.

Gillborn, D. & Safia Mirza, H. *Educational Inequality, Mapping Race, Class and Gender: a synthesis of research evidence* London: Ofsted, 2000.

Goldschmeid, E. a Jackson, S. *People Under Three*. London Routledge, 1994.

Goleman, D. *Emotional Intelligence*. London: Bloomsbury Publishing, 1995.

Gopnik, A., Meltzoff, A., a Kuhl, P. *How Babies Think: the science of childhood*. London: Weidenfeld & Nicolson, 2000.

Golombok, S. a Fivush, R. *Gender Development*. Cambridge: Cambridge University Press, 1994

Greenfield, S. *The Human Brain: A Guided Tour*. London: Basic Books, 1997.

Griffiths, F. *Communication Counts Speech and Language Difficulties in the Early Years*. London: Fulton Publishers, 2002.

181

Guha, P. (gol) *Exploring Learning: Young Children and Block Play*. London: Paul Chapman, 1988.

Halpern, D. *Sex Differences in Cognitive Abilities*. Mahwah, NJ: Erlbaum, 2000.

Hardman, C. 'Can there be an anthropology of children?' *Journal of the Anthropological Society of Oxford*, 4: 85-99, 1973.

Herbert, M. *Emotional Problems of Development in Children*. London: Academic Press, 1974.

Hilgarter Schlank, C. a Metzger B. *Together and Equal: Fostering Co-operative Play and Promoting Gender Equity in Early Childhood Programs*. MA USA: Allyn and Bacon, 1997.

Hill, M., Tisdall, K. a Wesley, A. *Children and Society*. London: Longman Ltd, 1997.

Hoddinot P, a Wright, C. 'Breast Feeding: a clinical review' www.bmj.com/cgi/content/extract/336/7649/881, Ebrill 2007.

Isaacs, S. *Social Development of Young Children*. London: Routledge, 1933.

Isaacs, S. *Intellectual Growth in Young Children*. London: Routledge, 1930.

James, A. a Prout, A. (gol) *Constructing and Reconstructing Childhood: Contemporary Issues in the Sociological Study of Childhood*. London: Routledge, 1997.

Kalliala, M. *Play Culture in a Changing World*. Maidenhead: Open University Press, 2006.

Katz, G. The Project Approach. Eric Clearing House on Elementary and Early Childhood Education. www.erieece.uiuc.edu. Ionawr 2001.

Kehily, M. J. *Childhood Studies*. Maidenhead: Open University Pres, 2004.

Kenway, J. a Willis, S. *Answering Back: Girls, Boys and Feminism in Schools:* Sydney: Allen and Unwin, 1997.

Kenway, P. Parsons, N, Carr, J. a Palmer, G. *Monitoring Poverty and Social Exclusion in Wales*. York: Joseph Rowntree Foundation, 2005.

Kimura, D. 'Sex differences in the brain', *Scientific American*. 119-125, Medi, 1992.

Kohlberg, L. 'A cognitive-developmental analysis of children's sex-role concepts and attitudes', yn Maccobby, E. E. (gol) *The Development of Sex Differences*. Stanford, CA: Stanford University Press, 1966.

Laevers, F. ' The Innovative project: experiential education 1976 -1995'. Research Centre for Early Childhood and Primary Education. Katholieke Universiteit, Leuven. Belg, 1994.

Lane, J. *Action for racial equality in the early years: understanding the past, thinking about the present, planning for the future: a practical handbook for early years workers*. London: National Early Years Network, 1999.

Levy, A. *Small Island*. London: Hodderheadline, 2004.

Lloyd, B. a Duveen G. *Gender Identities and Education: the Impact of Starting School*. New York: Harvester Wheatsheaf,1992.

Llywodraeth Cynulliad Cymru. *Y Wlad sy'n Dysgu*. Caerdydd: LICC, 2001.

Llywodraeth Cynulliad Cymru. *Iaith Pawb: Cynllun Gweithredu ar gyfer Cymru Ddwyieithog*. Caerdydd: LICC, 2003a.

Llywodraeth Cynulliad Cymru. *Y Wlad sy'n Dysgu: Y Cyfnod Sylfaen: 3 – 7 oed*. Caerdydd: LICC, 2003b.

Llywodraeth Cynulliad Cymru. *Y Cyfnod Sylfaen 3 – 7 oed: Cynllun Gweithredu*. Caerdydd: LICC. 2006a.

Llywodraeth Cynulliad Cymru. *Cydnabod Angen: Cynllun Gweithredu*. Caerdydd: LICC, 2006b.

Lunt, I., *The Challenge of Inclusive Schooling for Pupils with Special Educational Needs* yn Campbell, C. (gol) *Developing Inclusive Schooling, Perspective, Policies and Practices*. London: Institute of Education, University of London, 2000.

Lytton, H. a Romney, D.M. 'Parents' different socialisation of boys and girls: a meta-analysis'. *Psychological Bulltetin*, 109: 267-96, 1991.

Maccoby, E.E. a Jacklin, C.N. *The Psychology of Sex Differences*. Stanford, CA: Stanford University Press, 1974.

MacNaughton, G. *Rethinking Gender in Early Childhood Education*. London: Paul Chapman, 2000.

MacNaughton, G. *Doing Foucault in Early Childhood Studies*. Llundain: Paul Chapman, 2005.

Madge, N. *Understanding Difference: The Meaning of Ethnicity for Young Lives* London: National Children's Bureau, 2001.

Malik, H. *A Practical Guide to Equal Opportunities*. Cheltenham: Nelson Thornes, 2003.

Mandell, N. 'Children's negotiation of meaning' yn Waksler, F.C. (gol) *Studying the Social Worlds of Children: Sociological Readings*. London: Falmer Press, 1991.

Martin, C.L. a Little, J.K. 'The relation of children's understanding to children's sex-typed preferences and gender stereotypes'. *Child Development,* 61: 1427-39, 1990.

Marsh, J a Millard, E. *Literacy and Popular Culture: Using Children's Culture in the Classroom*. London: Paul Chapman Publishing,2000.

May, S. *Language and Minority Rights: Ethnicity, Nationalism and the Politics of Language*. London: Longman, 2001.

Moll Luis. C. *Vygotsky and Education' Instructional Implications and Applications of Sociohistorical Psychology*. New York: Cambridge University Press, 2002.

Morrow, V. 'Responsible children? Aspects of children's work and employment outside school in contemporary UK', yn B. Mayal (gol) *Children's Childhoods: Observed and Experienced*. London: Falmer Press, 1994.

Morrow, V. *Understanding Families: Children's Perspectives*. London: National Children's Bureau, 1998.

Moss, P. a Petrie, A. *From Children's Services to Children's Spaces*. London: Routledge Falmer Press, 2002.

Moss, P. 'Bringing politics into the nursery: early childhood education as a democratic Practice'. *European Early Childhood Education Research Journal*, 15, 1, 5-20. 2007.

Moyles, J. *The Excellence of Play*. Buckingham: Open University Press, 2005.

National Children's Bureau.*Special Educational Needs in the Early Years: Highlight No. 200*. London: National Children's Bureau, 2003.

Nutbrown, C, *Threads of Thinking. Young Children Learning and the Role of Early Education*. London: Sage Publications, 1994.

Ochsner, M. B. 'Gendered Make-up', *Contemporary Issues in Early Childhood,* 1 (2): 209-13, 2000.

Owusu-Bempah, K. 'Race, Culture and the Child' yn Hendrick, H. (gol) *Child Welfare and Social Policy An Essential Reader* Bristol: The Policy Press, 2005.

Paeschter, C. *Educating the Other: Gender, Power, and Schooling*. London: Falmer Press, 1998.

Paley, V. C. *Boys and Girls: Superheros in the Doll Corner*. Chicago: University of Chicago Press, 1984

Palmer, J. *Fifty Modern Thinkers on Education from Piaget to the Present*. London: Routledge, 2001.

Parks, P. *The Emotional Education of Parents*. London: Routledge,1991.

Pascal, C. a Bertram, T. *Effective Early Learning: Case Studies in Improvement*. London: Hodder & Stoughton, 1997.

Patten, P. a Robertson, A. *Violence Prevention Resource Guide for Parents prosocial Skills*. http://ceep.crc.uiuc.edu/pubs/ivpaguide.html, 2001.

Penn, H. *Unequal Childhoods: Young children's lives in poor countries*. Llundain: Routledge, 2005

Penn, H. *Understanding Early Childhood: Issues and Controversies*. London: Sage, 2005.

Piaget , J. *The Child and Reality*. New York, Penguin, 1976.

Piaget, J. *Psychology and Epistemology: Towards a Theory of Knowledge*. Harmondsworth: Penguin, 1972.

Pugh, G. (gol) *Contemporary Issues in the Early Years Working Collaboratively for Children*. London: Sage Publications Ltd, 2001.

Pugh, G. *Education And Training For Work In The Early Years*. London: National Children's Bureau, 1996.

Ratcliffe, P. *'Race', Ethnicity and Difference*. Maidenhead: Open University Press, 2004.

Rinaldi, C. 'Projected Curriculum Constructed through Documentation: an interview with Lella Gandini' yn Edwards, C., Gandini, L., a Forman, G. (gol) *The Hundred Languages of Children*. London: JAI Press, 1993.

Rinaldi, C. *In Dialogue with Reggio Emilia: Listening, Researching and Learning*. Abingdon: Routledge, 2005.

Roberts, R. *Self Esteem and Early Learning*. London: Chapman Publishing, 2002.

Rogers, C. *On Becoming a Person: A Therapist's View of Psychotherapy*. London: Constable.1961.

Rogoff, B. *Apprenticeship in Thinking: Cognitive Development in Social Context*. New York: Oxford University Press, 1990.

Rogoff, B., Goodman Turkanis, C., a Bartlett, L. (gol), *Learning together: Children and adults in a school community*. New York: Oxford University Press, 2003.

Samuel, J. a Bryant, P. 'Asking only one question in the conservation experiment.' *Journal of Child Psychology and Psychiatry* 25. 315-318, 1984.

Scarlett, W.G., Naudeau, S., Salonius-Pasternak, D. a Ponte, I. *Children's Play*. London: Sage, 2005.

Schools Curriculum and Assessment Authority. *Desirable Learning Outcomes for Children before Statutory School Age*. London: DfES, 1996.

Sefydliad Bevan. *A childcare revolution in Wales*. Tredegar. Bevan Foundation, 2006.

Sharp, P. *Nurturing Emotional Literacy*. London: David Fulton, 2001.

Sheldon, A. 'Pickle fights: gendered talk in preschool disputes', *Discourse Processes*, 13: 5-31, 1990.

Shweder, Richard A. *Thinking through Cultures: Expeditions in Cultural Psychology*. Cambridge, MA.: Harvard University Press, 1991.

Schweinhart L.J., Montie J., Barnett W.S., Belfield C.R., Nores M. 'Lifetime Effects: The High/Scope Preschool Study Through Age 40'. High/Scope Educational research Foundation. Michigan, 2005. www.highscope.org

Siegler, D. *The Developing Mind*. New York: Guildford Press, 1998.

Siegler, R.S. *Children's Thinking*. New York: Prentice Hall, 1986.

Siencyn, S.W. *Y Gymraeg mewn Darpariaeth Blynyddoedd Cynnar*. Caerdydd: LICC, 2002.

Siencyn, S.W. a Thomas, S. *Wales* yn Clark, M. a Waller, T. (gol). *Early Childhood Care and Education: Policy and Practice*. London: Sage, 2007.

Siraj-Blatchford, I. a Sylva, K. *Prosiect Monitro a Gwerthuso Gweithredu'r Cyfnod Sylfaen yn Effeithiol (MEEIFP)*. Caerdydd: Llywodraeth Cynulliad Cymru, 2006.

Siraj-Blatchford, I. 'Diversity and Learning in the Early Years' yn Pugh, G. (gol) *Contemporary Issues in the Early Years* London: Sage, 2001.

Smidt. S, *A Guide to Early Years Practice*. London: RoutledgeFalmer, 2002.

Smith, L. T. *Decolonizing Methodolgies: Research and Indigenous Peoples*. Dunedin: University of New Zealand Press, 1999.

Smith, P., Cowie, H. a Blades, M. *Understanding Children's Development*. Oxford: Blackwell, 2003.

Speier, M. 'The adult ideological viewpoint in the studies of childhood' yn Skolnick, A. (gol) *Rethinking Childhood: Perspectives on Development and Society*. Boston: Little Brown, 1976.

Stainton-Rogers, W. a Stainton-Rogers, R. *The Psychology of Sex and Gender*. Buckingham: Open University Press, 2001.

Stevens, C. *Hanes Mudiad Ysgolion Meithrin: 1971-1996*. Llandysul: Gwasg Gomer, 1996.

Stroufe, A. *Emotional Development. The Organisation of Emotional life in the Early Years*. Cambridge: Cambridge University Press, 2005.

Sylva, K., Melhuish, E., Sammons, P.. Siraj-Blatchford, I. Taggart, B., Elliot, K.. *The Effective Provision of Pre School Education (EPPE) Project:Findings From The Pre School Period'*. London: Institute of Education. University of London.2003. www.ioe.ac.uk/projects/eppe

Talbot, M. M. *Language and Gender: An Introduction,* Polity Press, 1998.

Thorne, B. *Gender Play: Boys and Girls in School.* Buckingham: Open University Press, 1993.

Trevarthen, C. 'Infancy, mind' yn Gregory, R. (gol) *Oxford Companion to the Mind.* Oxford: Oxford University Press, 2003.

Tulviste,T. a Ahtonen,M. 'Child Rearing Values of Estonian and Finnish Mothers and Fathers'. *Journal of Cross-Cultural Psychology*. 38: 137-155, 2007.

Thacker, J., Pring, R. ac Evans, D. (gol) *Personal Social and Moral Education in a Changing World.* Reading: NFER Nelson, 1987.

The Stephen Lawrence Inquiry: Report of an Inquiry by Sir William MacPherson of Cluny, February 1999, The Stationery Office www.archive.official-documents.co.uk

Thompson, N. *Anti-discriminatory Practice*. Basingstoke: Palgrave, 2001.

UNICEF. *Child Poverty in Perspective: an overview of child well-being in rich countries.* Florence, Italy: Unicef Innocenti Research Centre, 2007. www.unicef.org/media/files/ChildPovertyReport.pdf

Vygotsky, L. *The Mind in Society: The Development of Higher Psychological Processes.* Cambridge, MA: Harvard University Press, 1978.

Vygotsky, L. *Thought and Language*. Cambridge MA: M.I.T.Press, 1968.

Wakeman, B.*Personal Social and Emotional Education*. London: Lion Publishers, 1984.

Wall, K. *Special Needs and Early Years* London: Paul Chapman Publishing, 2003.

Warden, D. & Christie, D. *Teaching Social Behaviour: Classroom strategies and activities to foster children's interpersonal awareness*. London: David Fulton Publishers, 1997.

Weinraub, M., Clemens, L.P., Sockloff, A., Ethridge, T., Gracely, E. a Myers, B. 'The development of sex role stereotypes in the third year: relationships to gender labeling, gender identity, sex-typed toy preferences and family characteristics', *Child Development,* 55: 1493-503, 1984.

Whitehead, M. *Supporting Language And Literacy Development In The Early Years.* Maidenhead: Open University Press, 1999.

Whiteley, H., Smith, C, a Hitchinson, J. TACTYC..25. 2 *Early Years an International Journal of Research and Development.*. Routledge Taylor and Francis Group, Gorffennaf 2005.

Willan, J., Parker – Rees, R., a Savage, J. (gol) *Early Childhood Studies.* Exeter: Learning Matters, 2004.

Wolfendale, S. *Meeting Special Needs in the Early Years* yn Pugh, G. (gol) *Contemporary Issues in the Early Years Working Collaboratively for Children*. London: Sage Publications Ltd, 2001.

Yelland N. and Grieshaber S. *Blurring the edges* yn Yelland N. (gol) *Gender in Early Childhood* London: Routlege, 1998.

Mynegai

ACCAC,67, 78

Adroddiad MacPherson 86-87

Adroddiad Plowden 121

Adroddiad Waterhouse 69

Alderson, P.16-17

anghenion addysgol arbennig 64-67

Ariès, P. 11, 30

Arolygaeth Safonau Gofal Cymru 58

Athey, C. 170-171

Bandura, A. 117, 135

basged trysor 19

Bowlby, J. 128, 144, 150-151, 169

Brad y Llyfrau Gleision 33

Bronfenbrenner, U. 15-16, 129-30, 144

Bruegel, P. 34-35

Bruner, J. 45, 121, 127, 145, 163, 169

Bulger, James 11-13

bwydo o'r fron 15

Carr, M. 175

Childline 36

Climbié, Victoria 24

Cod Ymarfer AAA 64, 91

Colwell, Maria 24

Comisiynydd Plant Cymru 36, 69-70

Confensiwn Y Cenhedloedd Unedig ar Hawliau'r Plentyn 21-23, 25-26, 29, 36, 69, 82, 114

Corsaro, C. 48-49

cosbi plant 24-36, 114

Cronfa Achub y Plant 22

Cymru'r Plant 32

cynllun talebau 67-68

Damcaniaeth datblygiad gwybyddol 107, 118-120

Damcaniaeth dysgu cymdeithasol 104-106, 117

Damcaniaeth Prosesu Gwybodaeth 133

Damcaniaeth sgema rhywedd 108

Damcaniaeth Systemau Ecoloego 15l

Darwin, C. 132

Datganiad AAA 65

Datblygiad iaith 151-152.

Dechrau'n Deg 26, 73-75

Dedd Anghenion Addysgol Arbennig ac Anabledd 2001 65

Deddf Addysg 1996 65, 91-92

Deddf Addysg Elfennol 1867 30

Deddf Anghenion Addysgol Arbennig 2001 (SENDA) 91

Deddf Llywodraeth Cynulliad Cymru 2006 57, 70

Deddf Plant 1908 35

Deddf Plant 1989 21, 36, 92

Deddf Safonau Gofal 2000 69

Deddf yr Iaith Gymraeg 1993 83

Deddfau Cysylltiadau Hiliol 1976, 2000, 2003 85

Desirable Learning Outcomes for Children 67-68

Dewey, J. 114m 116

dinasyddiaeth plant

dol Bobo 117, 135

Donaldson, M. 44, 169-170

Early Learning Goals 68

Émile 114

Estyn 68, 72

Evans, D. 31

Foucault, M. 42, 163, 173

Fox Harding, L. 20

Freud, A. 169

Freud, S. 18, 103-104, 114, 121
Froebel, F. 114, 165

Geiriau Bach 62
Genesis 59
Gordewdra 15, 36, 74
Griffith Jones Llanddowror 115

hawliau plant 21, 35-36
Head Start 140-141, 159
High/Scope 66, 140, 159

Iaith Pawb 61, 83
Ignatius Loyola 113
Isaacs, S. 166-167

Jebb, E. 22, 26

Katz, L. 155, 173
Klein, M. 169
Kohlberg, L. 107-108

Lawrence, Stephen 86
lleiafrifoedd ethnig 62, 85-88
Locke, J. 113

MacNaughton, G. 94, 109, 163, 173
Malaguzzi, L. 16, 117
Maslow, A. 127-129, 147
McMillan, M. a R. 165-166
Merthyr Tudful 33, 58
Montessori, M. 114, 159, 163-165
Mudiad Ysgolion Meithrin 58, 61-62, 66

niwrowyddoniaeth 133-134

NSPCC 24, 35

Opie, P. a I. 35

Owen, R. 115

Parth Datblygiad Procsimal (ZPD) 45, 123-124, 142

Pestalozzi, J. 114, 165

Piaget, J. 18, 20, 44-45, 107, 114, 118-121, 132, 141, 143, 163, 167, 169-170

Plant yng Nghymru 69, 74, 92

Pratt, C. 168
Prosiect EPPE 159

Reggio Emilia 16, 71, 127, 155, 173-174

rhywedd, rhyw,a rhywiaeth 19, 88-91

Rinaldi, C. 174-175

Rogoff, B. 45, 131-132

Rousseau, J. J. 31, 114

Sdim Curo Plant!Cymru 25, 69
Seland Newydd 71, 127, 172, 175

sgema 119, 172

Siraj-Blatchford, I. 94

Skinner, B. 116

Steiner, R. 121

Te Whāriki 127, 175

The Foundation Stage 68-69

tlodi plant yng Nghymru 58, 62-64, 73-74
Trevarthen, C. 16

Tribiwnlys AAA Cymru 66

Trysorfa'r Plant 32

Twf 62, 84

UNICEF 21-23

Vygotsky, L. 18, 44-45, 122-127, 130, 142, 147, 149, 151, 154, 163

Welsh Not 33
Williams, Rowan 36
Williams, Waldo 176

Y Canlyniadau Dymunol i Ddysgu Plant cyn Oedran Addysg Orfodol 67, 71, 123
Y Cyfnod Sylfaen 3 – 7 oed 15, 18, 20, 26, 67, 69, 70-73, 82, 92, 127, 160, 167
Yr Athraw i blentyn 32
Yr iaith Gymraeg 33-34, 60-62, 66, 68, 83-84, 134.

ysgol Sul 31-32